INTERDIT AUX PARENTS

PARIS
Pour en savoir plus que les grands

Klay Lamprell

SOMMAIRE

CE LIVRE N'EST PAS UN GUIDE TOURISTIQUE.

Et il est absolument interdit aux parents.

IL S'AGIT DE LA FABULEUSE HISTOIRE d'une des plus

belles villes du monde – Paris. Tu découvriras de passionnants récits

sur d'**EFFRAYANTES GARGOUILLES**,

des stations de métro fantômes, d'impressionnants châteaux et des animaux

follement **CHOUCHOUTÉS**.

Tu liras de terribles histoires d'animaux empaillés,

de **TÊTES COUPÉES** et de souterrains pleins d'**OSSEMENTS**.

Tu croiseras des acrobates, des collectionneurs et des musiciens et tu casseras

ta tirelire pour d'incroyables **EMPLETTES**.

Ce livre te présente un **PARIS** que tes parents

ne connaissent probablement pas.

QUEL SOURIRE !

Est-ce un sourire triste ou heureux ?
C'est la question qu'on se pose devant
La Joconde, le plus célèbre tableau
du monde. Léonard de Vinci a peint
ce chef-d'œuvre en Italie, il y a plus
de 500 ans, et l'a emporté avec lui
en France. Des recherches récentes
ont révélé trois versions successives
du tableau sous celle que tu peux voir
aujourd'hui. Dans l'une d'elles,
les mains reposent sur les
bras du siège au lieu
d'être croisées.

C'EST MA
PRÉFÉRÉE !

↑ *La Joconde*,
vers 1503-1505,
Léonard de Vinci

Peinte avec amour
Léonard de Vinci a mis
des années à peindre
La Joconde. Il a
superposé des couches
de peinture plus fines
qu'un cheveu et des
vernis pour créer un
effet doux et vaporeux.
Le tableau était plus
coloré à l'origine – il a
jauni avec le temps.

En 2005, un logiciel
de reconnaissance
des émotions a conclu
que *La Joconde* était
à 83% heureuse !

La Joconde reçoit chaque semaine des lettres d'admirateurs !

ET MA PAUSE DÉJEUNER, ALORS ?

JE LA REMPORTE EN ITALIE.

LA JOCONDE A DISPARU !

Une nuit de 1911, après avoir achevé un travail au Louvre, Vincenzo Peruggia a retiré *La Joconde* de son cadre pour l'emporter chez lui ! Elle a disparu ainsi pendant des années. Le voleur n'a été retrouvé que lorsqu'il a tenté de vendre la toile à une galerie en Italie. Après quoi *La Joconde* a été placée sous étroite surveillance.

La foule...

Environ 6 millions de visiteurs viennent voir le sourire de *La Joconde* chaque année, au Louvre. Le tableau est protégé par un coffrage équipé d'un système de climatisation et de vitres blindées.

POUSSEZ-VOUS !!

Pour les curieux

En face de *La Joconde*, qui n'est qu'un portrait de taille moyenne, se trouve une immense toile aux nombreux personnages : *Les Noces de Cana* de Véronèse. C'est le plus grand tableau du Louvre : il mesure 6,80 x 9,90 m.

↑ *Les Noces de Cana*, 1562-1563, Véronèse

POURQUOI ON M'A PAS INVITÉ ?

EN SAVOIR PLUS

Le site officiel du musée du Louvre – www.louvre.fr

UNE GLACE POUR LE PETIT DÉJEUNER ?

Un Parisien sur six a un chien.

VOUS NE PENSEZ PAS QUE JE VAIS MARCHER !

Au café avec son chien
Dans nombre de parcs parisiens, les chiens ne sont pas les bienvenus, mais ils sont souvent acceptés dans les cafés, en tout cas aux tables en terrasse.

Taxis pour chiens
Tous les taxis n'admettent pas les animaux dans leurs voitures. Mieux vaut passer par une centrale de réservation pour qu'elle envoie un chauffeur qui accepte les animaux.

Chien baladeur
Les petits chiens peuvent voyager en métro ou en bus, gratuitement, à condition d'être enfermés dans un sac ou un panier.

TOUT POUR LES TOUTOUS

Il y a plus de 300 000 chiens à Paris, presque autant que d'enfants ! Mais à la différence des enfants, les chiens font leurs crottes sur les trottoirs. Depuis 2002, les Parisiens sont obligés de les ramasser sous peine d'amende.

Les chiens d'aveugles ont le droit de laisser leurs crottes sur les trottoirs.

> J'AI DÛ ME TROMPER D'ALLÉE, IL N'Y A PAS DE STEAK PAR LÀ !

↑ *Le Carreau des Halles, 1880, Victor-Gabriel Gilbert*

> POUAH !

> DONNE-MOI UN OS ET QUE ÇA SAUTE ! !

Dresser votre maître

Il y a eu l'époque des motocrottes, qui devaient réparer les dégâts. Puis celle des crottes dans le caniveau, ce qui devait limiter les dégâts. Désormais, les maîtres doivent ramasser, ce qui évite les dégâts…

> WAOUH !

HÔTELS POUR CHIENS

Quand ils partent en vacances, les Parisiens peuvent laisser leur fidèle compagnon à l'Actuel Dogs, un palace pour chiens avec salle de jeux, piscine, massages et menu à la carte. Si vous visitez Paris avec votre chien, le grand Hôtel de Crillon propose "Dog de Crillon" – lits sur mesure, colliers personnalisés et délices pour chiens.

EN SAVOIR PLUS

Le premier cimetière pour chiens de la région parisienne a été créé en 1899.

EIFFEL, PÈRE DE LA TOUR

PAS SI MAL CETTE TOUR ! QU'EN DIS-TU ?

Gustave Eiffel

Quand Gustave Eiffel a construit sa tour pour l'Exposition universelle de 1889, certains ont pensé qu'il était fou. Les Parisiens ont surnommé son œuvre "l'asperge de métal", mais ils ne s'en sont guère inquiétés car elle devait être démontée après l'exposition. C'était il y a plus de 120 ans : aujourd'hui elle est devenue le symbole de Paris et même de la France !

GLISSER ENTRE SES PIEDS

Patiner entre les pieds de la dame de fer, avec, le soir, des effets de lumière colorée sur la glace ! Géniale, l'idée de cette patinoire aménagée l'hiver au 1er étage de la tour Eiffel. Grande comme un court de tennis, elle peut accueillir 80 patineurs à la fois.

OUF !

ESCALIER DE LA TOUR EIFFEL

C'est aussi Gustave Eiffel qui a conçu, en 1885, la structure de la statue de la Liberté.

JE PATINE COMME UN PIED, MAIS CE N'EST PAS MOI QU'ON REGARDE !

La rude ascension vers le sommet
Un escalier d'environ 700 marches mène au 2e étage, situé à 115 m de hauteur. De là, des ascenseurs te conduiront au 3e étage, à 276 m.

Janvier 1888

Avril 1888

Septembre 1888

Une vue fabuleuse !

La tour Eiffel atteint 324 m de hauteur, l'équivalent d'un gratte-ciel de 80 étages. Elle a été, pendant 41 ans, la plus haute structure au monde édifiée par l'homme. C'est toujours le plus haut édifice de Paris.

Construite en un temps record

La tour a été construite en seulement 2 ans, 2 mois et 5 jours. En tout, il a fallu assembler 18 038 pièces métalliques. La tour doit être repeinte tous les 5 ans, ce qui nécessite 60 tonnes de peinture !

CHRONOLOGIE

1887	Début des travaux de la tour Eiffel.
1889	Fin de sa construction.
1903	Gustave Eiffel démontre que sa tour peut jouer le rôle d'antenne. La Dame de Fer est sauvée !
1912	Franz Reichelt, tailleur autrichien, tente de voler depuis le 1er étage avec un parachute de son invention. Il fait une chute mortelle.
1915	Un radiotransmetteur de la tour est le premier à capter des signaux radio entre continents, en provenance d'Arlington, en Virginie, aux États-Unis.
1923	Gustave Eiffel meurt le 27 décembre, à Paris.
1925 à 1934	250 000 ampoules illuminent la Tour d'une publicité géante pour Citroën, la marque de voitures.
1940	Les câbles des ascenseurs sont coupés et d'autres mesures sont prises pour empêcher l'occupant allemand d'utiliser les installations de la tour Eiffel.
1944	À la libération de Paris, les troupes américaines installent leur service de transmission au 3e étage de la Tour.
1956	Un incendie ravage le sommet de la Tour.
1984	Robert Moriarty passe entre les piliers de la Tour à bord d'un petit avion.
1987	A.J. Hackett réalise un saut à l'élastique de 110 m depuis le 2e étage de la Tour. Arrêté par la police, il est relâché peu après.
1999	Quand sonne l'heure de l'an 2000, un extraordinaire spectacle d'étoiles scintillantes et de feux d'artifice embrase la tour Eiffel.
2002	La tour Eiffel reçoit son 200 millionième visiteur.
2010	Taïg Khris bat le record du monde de saut à rollers en s'élançant du 1er étage de la tour Eiffel.

EN SAVOIR PLUS

La tour Eiffel tient grâce à 2 500 000 rivets. ☆ www.tour-eiffel.com

PLACE DE LA GUILLOTINE

Louis XV s'était fait construire une place magnifique pour mettre en valeur sa statue équestre. On l'appelait place Louis-XV. Mais à la Révolution, on a abattu la statue du roi et installé la guillotine sur la place. C'est là que Louis XVI, Marie-Antoinette, Danton, Robespierre et quelques milliers d'autres ont été décapités ! Tu imagines le sang sur les pavés ! On l'appelait alors place de la Révolution et elle avait terrible réputation.

De la Terreur à la Concorde

Sous le Directoire, la place de la Révolution a été rebaptisée place de la Concorde, dans un souci de réconciliation.

↓ *L'exécution de Louis XVI (1754-1793), le 21 janvier 1793*

La fin du roi

Le 21 septembre 1792, la Convention décrète l'abolition de la royauté. Condamné à mort, Louis XVI est guillotiné le 21 janvier 1793. Sa tête sanguinolente est présentée au peuple aux cris de "Vive la République".

Louis XV

L'obélisque de Ramsès
Pour faire oublier les souvenirs sanglants, un obélisque a été placé au centre de la place de la Concorde en 1836. Haut de 23 m, il est vieux de 3 300 ans.

Joseph Ignace Guillotin

JE SUIS UNE FINE LAME.

LA TÊTE LA PREMIÈRE

Jusqu'en 1792, en France, seuls les aristocrates avaient la chance de pouvoir être décapités. Les autres étaient pendus, brûlés, bouillis ou suppliciés ! Puis la loi a imposé que tous les condamnés à mort soient décapités par la guillotine. Ce nouvel instrument devait son nom au docteur Guillotin qui avait insisté pour qu'on utilise une machine à décapiter provoquant une mort sûre et rapide.

Guillotin était furieux que la machine à décapiter porte son nom.

L'effacement des taches
D'avril 1793 à juillet 1794, plus de 2 600 personnes ont été guillotinées sur l'actuelle place de la Concorde. Le sang ruisselait sur les pavés ! Mais la trace en a été effacée, car cette place octogonale a depuis longtemps été repavée.

EN SAVOIR PLUS

La guillotine a disparu en 1981 seulement, avec l'abolition de la peine de mort !

PARIS FAIT SON NUMÉRO

La ville est réputée pour les cirques qu'elle accueille. Certains proposent des spectacles très classiques. D'autres mêlent aux arts du cirque ceux du théâtre, de la danse… Tu peux t'attendre à voir des pistes carrées, des dompteurs de bassines, des combats de tronçonneuses, des acrobates délaissant leur trapèze pour jouer de la musique… Mais ne t'inquiète pas, tu frissonneras toujours devant les prouesses de ces saltimbanques et tu auras plus d'une occasion de rire à leurs farces.

Un ancien toujours frais
Pour Alexis Gruss, le cirque est une histoire de famille. Né sur la piste, il perpétue avec ses propres enfants la grande tradition équestre à laquelle il est attaché. Cela ne l'empêche pas de se renouveler ni d'inviter un éléphant sur la piste…

Terrain de jeu
Dans le parc de la Villette, un espace permet à des compagnies de venir dresser leur chapiteau. Tout au long de l'année y défilent les spectacles les plus originaux : Cirque Plume, Cirque Baroque, Johann Le Guillerm…

> MOI LES CHEVAUX, ÇA ME FAIT BARRIR !

Les Roms à la fête
Dans le cirque Romanès, la musique tsigane venue de Roumanie joue un rôle important. Des musiciens et chanteurs accompagnent ainsi les prouesses des artistes. La famille Romanès dresse souvent son campement près du périphérique parisien, dernièrement dans le 17e arrondissement.

CHEVAUX EN VEDETTE

Bartabas imagine des spectacles dont les acteurs principaux sont des chevaux. Il mêle acrobaties équestres, danse, musique, clowneries… pour le plus grand plaisir des petits et des grands. Son théâtre équestre Zingaro est installé au fort d'Aubervilliers. Sinon, tous les week-ends, tu peux visiter son Académie du spectacle équestre dans les écuries du château de Versailles. Une école qui ne ressemble sans doute pas à la tienne.

Grand spectacle

Chez Pinder, le cirque aime se montrer sous son jour le plus rutilant. Les lions rugissent, les clowns tombent, les éléphants jouent aux acrobates, les trapézistes s'envolent… Des étoiles plein les yeux !

MAMAAAAN !!!!

Plusieurs écoles de cirque sont installées en banlieue parisienne.

Chapiteau centenaire

Un chapiteau n'est jamais démonté à Paris : celui du Cirque d'hiver. Il a en effet été construit en dur, en 1852, et a abrité des centaines d'artistes depuis (pas seulement pour des spectacles de cirque).

EN SAVOIR PLUS

Choisis ton spectacle – www.offi.fr/theatre/cirques-et-autres-spectacles.html

L'AXE HISTORIQUE

Une série de jardins, d'avenues et de monuments forme une sorte de ligne continue qui traverse Paris d'est en ouest. Cet axe historique a commencé à être aménagé à partir des Tuileries sous Louis XIV. Aujourd'hui, il va de l'arc du Carrousel à l'Arche de la Défense, en passant par les Tuileries, la Concorde, les Champs-Élysées et l'Arc de triomphe. Suis cet axe pour découvrir l'histoire de Paris.

3 Arc de triomphe
Après la Révolution française, le général Napoléon Bonaparte a pris le pouvoir en 1799. C'est lui qui a eu l'idée de dresser l'Arc de triomphe en hommage à son armée, comme cela se faisait dans la Rome antique.

1 Île de la Cité
La tribu des Parisii s'est établie sur les rives de la Seine il y a environ 2 500 ans. Après la conquête romaine, la ville de Lutèce s'est développée sur la rive sud du fleuve et sur l'île de la Cité.

JE FONDE DE GRANDS ESPOIRS SUR CE VILLAGE.

2 Le Louvre
En 508, Clovis, roi des Francs, a fait de Paris sa capitale. En 1190, Philippe Auguste a édifié la forteresse du Louvre. Les rois et empereurs successifs en ont fait un grandiose palais. La Révolution l'a transformé en musée.

EN PREMIÈRE LIGNE

Le point de départ de l'axe historique était à l'origine le palais des Tuileries, construit en 1564. Après sa destruction, en 1871, l'arc de triomphe du Carrousel, érigé par Napoléon Ier, est devenu le premier monument sur cet axe.

6 La Défense
Inaugurée en 1989, la Grande Arche est la dernière œuvre architecturale monumentale sur l'axe historique. Elle marque la prolongation de cet axe jusqu'au quartier d'affaires de La Défense.

4 La ligne 1 du métro
Paris a été l'une des premières villes à construire un métro souterrain. La ligne 1, ouverte en 1900, suit l'axe historique avec des arrêts tout du long.

> C'EST LA DERNIÈRE MODE EN MATIÈRE D'ARCS...

> LA FRANCE, C'EST MOI ! LA RÉFORME OUI, LA CHIENLIT, NON !

5 Avenue Charles-de-Gaulle
Cette avenue doit son nom au général de Gaulle, chef de la France libre pendant la Seconde Guerre mondiale et président de la République de 1959 à 1969. On lui doit les institutions politiques qui nous gouvernent.

EN SAVOIR PLUS

Un film ludique sur l'axe historique – www.ladefense-seine-arche.fr/laxe-historique.html

RIEN À CACHER

Pouah ! se sont écrié certains lors de l'inauguration du Centre Pompidou en 1977. Ce bâtiment avait tous ses tuyaux et ses canalisations fixés à l'extérieur – comme si l'on voyait les veines et les nerfs d'un corps ! Beaucoup ont prédit qu'il ne survivrait pas au milieu des élégants bâtiments historiques de Paris ! Or, aujourd'hui, ce Centre est l'un des endroits les plus courus de la capitale.

On l'appelle plus familièrement "Beaubourg".

Pompiqui ?
"Centre national d'art et de culture Georges-Pompidou" : c'est son nom officiel ! Du nom du président de la République qui a eu l'idée de créer ce centre d'art moderne original au cœur de Paris.

C'EST UNE USINE ?

À QUOI ÇA SERT ?

Il n'y a pas de secret sur le fonctionnement du bâtiment : toutes les gaines techniques et les organes de circulation sont rejetés vers l'extérieur et peints selon un code de couleur.

Air

Eau

Électricité

Escalators et ascenseurs

Tout en un

Placer les escalators, ascenseurs et tuyauteries à l'extérieur a eu pour effet d'agrandir l'espace intérieur. On a ainsi pu mettre dedans un musée d'art moderne, une bibliothèque, des salles de spectacle et de cinéma, une librairie…

Un succès qui use

Le Centre Pompidou attire environ cinq fois plus de visiteurs que ne l'avaient prévu ses concepteurs. Aussi, le bâtiment s'use et a dû être entièrement rénové 20 ans après son ouverture.

JE SUIS L'OISEAU DE FEU. JE BRÛLE !

JE SUIS LE SERPENT. JE MORDS, MOI !

FABULEUSE FONTAINE

À côté du Centre Pompidou, l'eau jaillit de 16 étranges sculptures en mouvement. Une idée que les sculpteurs Jean Tinguely et Niki de Saint Phalle ont eue en écoutant la musique du compositeur Igor Stravinsky. D'où le nom de fontaine Stravinsky.

EN SAVOIR PLUS

Le site officiel du Centre Pompidou – www.centrepompidou.fr

LA VILLE DE L'AMOUR

On dit souvent de Paris que c'est la ville la plus romantique du monde. Au fil des siècles, la capitale de la France a été le cadre d'innombrables poèmes, pièces, livres et films d'amour. Plus récemment, une nouvelle tradition a fleuri : les couples d'amoureux attachent un cadenas portant leurs deux noms sur le pont des Arts, puis jettent sa clé dans la Seine !

TU AS FAIT UNE FAUTE À MON NOM !

Le mystère des cadenas

Quand 2 000 cadenas d'amour ont disparu un jour du pont des Arts, certains se sont dit que c'était la police qui les avait enlevés. Mais d'autres ont pensé qu'il s'agissait d'une personne seule, jalouse de tous ces couples…

L'amour est dans la ville

Les couples se promènent la main dans la main sur les Champs-Élysées, s'embrassent le long de la Seine et parfois décident de se marier au pied de la tour Eiffel.

POUAH !

Les mariés adorent se faire photographier sur le pont Alexandre-III.

Le cœur de Paris

Dans sa fameuse chanson *Les Champs-Élysées*, Joe Dassin magnifie l'amour à Paris. Il y chante notamment : "Et de l'Étoile à la Concorde, Un orchestre à mille cordes, Tous les oiseaux du point du jour, Chantent l'amour."

Le film Amélie Poulain a renouvelé l'image de l'amour à Paris.

Plafond de l'Opéra Garnier par Marc Chagall

L'amour sur la tête

Le plafond de l'Opéra Garnier a été repeint par Marc Chagall en 1964. Comme il se doit, on y voit de grandes figures d'amoureux, tels Roméo et Juliette ou Tristan et Iseult.

Pour en savoir plus sur Rodin, va page 74

JE ME DEMANDE CE QU'IL Y A À LA TÉLÉ CE SOIR...

LE MUR DES "JE T'AIME"

Dans un petit square de la butte Montmartre, près de la place des Abbesses, "je t'aime" est inscrit dans 250 langues sur plus de 600 carreaux. Leur format rappelle celui des billets doux que s'échangent les amoureux…

L'amour dans le marbre

Je suis sûr que tu vas deviner ce qu'évoque ce groupe en marbre sculpté par Auguste Rodin. Et tu vas deviner aussi son nom ! C'est *Le Baiser*, bien sûr !

TU VOULAIS ME DIRE QUELQUE CHOSE ?

EN SAVOIR PLUS

Rodin a d'abord fait des versions plus petites du *Baiser* en argile et en bronze.

FLUCTUAT NEC MERGITUR

Telle est la devise latine de Paris. En français,
cela donne "il est battu par les flots mais ne sombre
pas". La formule est héritée des marchands
qui travaillaient sur la Seine, mais la ville
lui fait toujours honneur à travers de multiples
activités nautiques et des sites de visite liés
à la mer.

> NON JE N'AI
> PAS PEUR, MAIS JE
> TROUVE QU'ON PENCHE
> BEAUCOUP !

Maman les p'tits bateaux
Sur la Seine ne passent plus guère que
des Bateaux-Mouches (voir p. 43), mais les
Parisiens n'ont pas perdu le goût de naviguer.
Dès que le soleil pointe le bout de son nez,
les barques des bois de Boulogne
et de Vincennes sont prises d'assaut.

Derrière les vitres
Paris a la chance de disposer
de deux aquariums pour découvrir
les secrets du monde du silence.
Drôle de hasard, ces deux lieux
qui ont tant à montrer sont eux-
mêmes bien dissimulés : l'un sous
le palais du Trocadéro et l'autre
sous le palais de la porte Dorée.

Marins d'eau douce
Durant la première moitié du XXe siècle, les péniches
étaient l'un des principaux moyens de transport
de marchandises. S'il en passe encore sur la Seine et
les canaux de Paris, la plupart de celles que tu verras
servent de bateaux de plaisance ou d'habitations.

POUR QUE TU VOIES BIEN, JE DOIS FROTTER FORT.

Mémoires de la mer

Apprendre avec des maquettes, voilà qui doit être bien agréable. Pour intéresser le roi Louis XV aux subtilités de la marine, une superbe collection de modèles réduits lui avait été offerte. Ses maquettes se trouvent aujourd'hui au Musée national de la Marine avec bien d'autres trésors.

En 1991, trois pirogues vieilles de 4 000 ans ont été découvertes à Bercy, sur les anciennes berges de la Seine.

Sous-marin sur terre

Amener un sous-marin à Paris n'a pas été une mince affaire. Même si l'*Argonaute* est petit, il pèse tout de même 400 tonnes et mesure 50 m de longueur. Arrivé, en 1989, sur une barge par le canal Saint-Denis, il a dû franchir 7 écluses. Deux bigues (des grues portuaires) et un chariot avec 96 roues l'attendaient au parc de la Villette pour le déposer à l'emplacement aménagé pour lui.

EN SAVOIR PLUS

Paris dispose d'un port fluvial – www.paris-ports.fr

L'empire de la mort !
Pour accéder aux catacombes,
il faut descendre les
130 marches d'un escalier
en spirale qui te mène 20 m
au-dessous de la ville.
À l'entrée, un panneau te
décourage d'aller plus loin.

Des os, et puis quoi d'autre ?
Les catacombes n'occupent qu'une
petite partie des anciennes carrières
souterraines de Paris qui comptent
300 km de galeries. Sous
la ville, on trouve aussi
2 000 km de conduits
d'égouts et 200 km de
voies de métro.

LES CATACOMBES
1, Place Denfert-Rochereau →

JE RÊVAIS
D'UNE PETITE TOMBE
AU CALME, SOUS
UN CYPRÈS...

QUE D'OS !

Sous Paris s'étendent les catacombes :
des galeries remplies des ossements de
6 millions de Parisiens. Il y a 200 ans environ,
les cimetières débordaient sous le nombre
de morts, causant puanteur et épidémies.
On a donc décidé de transférer les dépouilles
des cimetières dans ces anciennes carrières
de calcaire situées sous la capitale.

L'art de l'os

La plupart des ossements sont soigneusement entassés en rangées de bras, de jambes et de crânes. D'autres sont disposés en motifs artistiques, tels des cœurs ou des croix. Mais dans certains endroits, ils sont laissés sans grand souci de présentation.

Tourisme et insoumission

La visite des catacombes s'est développée depuis 150 ans environ, mais durant la Seconde Guerre mondiale, les galeries ont été utilisées par les membres de la Résistance pour se cacher des Allemands.

Les chariots noirs

Le transfert des morts des cimetières vers les catacombes a commencé en 1786 et a duré plus de 70 ans. Les ossements, bénits par des prêtres, étaient transportés de nuit dans des chariots drapés de noir.

EN SAVOIR PLUS

Les carrières et catacombes de Paris – www.catacombes-de-paris.fr

LE PENDULE DE FOUCAULT

Giordano Bruno a été brûlé vif pour avoir affirmé que la Terre tournait. D'autres, avant et après lui, ont pensé la même chose, sans jamais le prouver. En 1851, le physicien français Léon Foucault a réussi enfin à démontrer la rotation de la Terre grâce à un pendule attaché à la coupole du Panthéon. Devenu célèbre, il a travaillé aussi sur les téléscopes, les miroirs et la vitesse de la lumière. Ce héros national est enterré au cimetière de Montmartre.

> ALORS, QUI AVAIT RAISON ?

Léon Foucault

Une idée brillante !
Le pendule fonctionne mieux quand il y a un poids très lourd au bout du câble. Foucault a utilisé un boulet de canon en plomb recouvert de cuivre pesant 28 kg.

ET DONC ELLE TOURNE !

Une tige a été fixée en bas du pendule pour tracer son mouvement dans le sable. Le pendule a commencé par balancer d'avant en arrière en ligne droite. Mais sa trajectoire déviait progressivement dans le sens inverse des aiguilles d'une montre. C'était la preuve que la Terre tourne !

Au sommet du Panthéon

Foucault a accroché son pendule
à la voûte du Panthéon. Construit
pour être une église, c'est aujourd'hui
un mausolée où sont enterrés
les grands hommes de la nation.
Une réplique exacte du pendule
de Foucault y est installée
depuis 1995.

La vue sur Paris depuis
le Panthéon est l'une des
plus belles qui soient.

Pendules d'autrefois

Les pendules,
avec leur balancier
aux oscillations
régulières, ont
longtemps été le
meilleur moyen pour
marquer le temps. Des
pendules ont aussi servi
à enregistrer les traces
des tremblements
de terre.

TES PAUPIÈRES
SONT DE PLUS EN
PLUS LOURDES...

EN
SAVOIR
PLUS

À L'OMBRE DES STATUES

Tu veux faire fuir les mauvais esprits ? Voici un plan.
Décore l'extérieur de ta maison de statues
effrayantes : gargouilles ou chimères. C'est ce qu'on
a fait pour de nombreuses églises, notamment
Notre-Dame de Paris. Mais malgré ses monstres,
cette imposante cathédrale reste hantée par la
légende de Quasimodo, l'étrange histoire d'un
bossu sonneur de cloches.

Portail du Jugement
Ce portail de la façade
ouest représente le
Jugement dernier :
on voit le Christ,
les apôtres, le
paradis (à gauche)
et l'enfer (à droite).

ALORS J'AI DIT À
ESMERALDA, "C'EST LÀ
QUE J'HABITE"...

MAIS TU ME
TIRES LA LANGUE ?
ATTENDS QUE JE
DESCENDE !

Point Zéro
Devant Notre-Dame, une
rose des vents indique le
point Zéro, à partir duquel
est calculée la distance
entre Paris et les autres
villes de France.

Couleur locale
Voici l'une des trois rosaces
de la cathédrale qui ont survécu
à 800 ans de guerres, d'incendies
et de révolutions – et à quelques
restaurations douteuses.

UN LIVRE QUI RÉSONNE

Notre-Dame de Paris est un célèbre roman de Victor Hugo. Un de ses héros est le sonneur de cloches de la cathédrale : Quasimodo. Ce livre a donné lieu à de nombreuses adaptations au théâtre, à l'opéra ou au cinéma, dont *Le Bossu de Notre-Dame* de Disney.

Qui c'est la plus forte ?

Sur le plan touristique, Notre-Dame est le site le plus fréquenté de France, elle bat même la tour Eiffel pour le nombre total de visiteurs.

ASSEZ LES CLOCHES ! J'ESSAIE DE RÉFLÉCHIR !

UN BOURDON RECORD

La plus grosse cloche de Notre-Dame, le bourdon "Emmanuel", pèse plus de 13 000 kg, sans parler du battant qui pèse autant qu'une petite voiture !

1 x bus   3 x éléphants indiens   2 x Tyrannosaurus Rex

EN SAVOIR PLUS

Site officiel de Notre-Dame de Paris – www.cathedraledeparis.com

Chaud devant
En 2008, un incendie a ravagé
le cabinet de curiosités
de la maison Deyrolle,
détruisant nombre d'animaux
de ses célèbres salles. Depuis,
tout a été restauré.

CURIEUSE COLLECTION

La maison Deyrolle est une étonnante boutique de taxidermie qui ressemble à un musée. La taxidermie est l'art d'empailler les animaux morts pour leur donner l'apparence de la vie. Cette boutique, qui existe depuis plus de 180 ans, reste l'une des curiosités de Paris avec sa fabuleuse collection d'oiseaux et de mammifères empaillés, d'insectes, de coquillages et autres merveilles.

OUILLE !

COLLE

La taxidermie pour les nuls
Tu te vois taxidermiste ? Pas sûr ! Il faut enlever la peau de l'animal, la poser autour d'une structure qui a la forme de cette créature, puis incruster des yeux en verre !

Certains de ces animaux naturalisés sont utilisés dans des fêtes ou des films

Étrange et merveilleux
Tu découvriras ici toutes sortes de curiosités dont une tête d'antilope sur un mannequin portant un tablier, des œufs d'autruche montés sur socle et des collages à partir d'ailes de papillon.

J'AI TOUJOURS RÊVÉ D'UN BUREAU AVEC VUE.

JE NE PRÉPARE QUE DES PLATS VÉGÉTARIENS.

LA TERREUR DES RONGEURS

Il y a d'autres boutiques à Paris où l'on voit des animaux naturalisés. Par exemple la maison Julien Aurouze, spécialisée dans la dératisation et la destruction des nuisibles. En vitrine, on voit des rats empaillés pris dans des pièges, mangeant du fromage ou se promenant.

EN SAVOIR PLUS

Le très beau musée de la Chasse et de la Nature expose aussi des animaux empaillés.

ENFANTS DANS LA TOURMENTE

Au début de la Seconde Guerre mondiale, l'Allemagne a envahi la France. Paris a été bombardé et des centaines d'enfants ont été tués. Le 11 novembre 1940, les lycéens et étudiants ont été les premiers à manifester dans les rues contre l'occupation nazie. La date n'était pas anodine puisque le 11 novembre commémore l'armistice de 1918 et donc la victoire sur l'Allemagne lors de la Première Guerre mondiale.

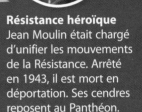

Résistance héroïque
Jean Moulin était chargé d'unifier les mouvements de la Résistance. Arrêté en 1943, il est mort en déportation. Ses cendres reposent au Panthéon.

La ville sans enfants
En juin 1940, quand l'armée allemande approchait de la capitale, de nombreux Parisiens se sont enfuis ou ont envoyé leurs enfants chez des parents à la campagne.

Halte à Hitler !
Peu après le début de l'Occupation, en 1940, des étudiants et lycéens parisiens ont manifesté contre les nazis autour de l'Arc de triomphe. La répression a été impitoyable.

Paris s'insurge

Suite au débarquement du 6 juin 1944, les résistants parisiens s'impatientent. Ils passent à l'action le 19 août pour libérer la ville. Très vite la 2ᵉ DB de Leclerc leur vient en aide et permet la victoire.

Rations quotidiennes de guerre

Sous l'Occupation, les enfants n'avaient guère à manger. La taille moyenne des garçons a diminué de 7 cm et celle des filles de 11 cm.

DATES CLÉS

Les Allemands ont envahi Paris en juin 1940. L'occupation de la capitale a duré quatre ans. Sous le régime nazi, les Parisiens on vécu dans des conditions misérables jusqu'à la libération de la ville.

3 juin 1940

L'aviation allemande bombarde Paris, faisant plus de 250 morts, majoritairement des femmes et des enfants.

JUIN

D	L	M	M	J	V	S
						1
2	③	4	5	6	7	8
9	10	11	12	13	14	15
16	17	18	19	20	21	22
23/30	24	25	26	27	28	29

25 août 1944

Après six jours de combats, entamés par la Résistance française, les forces allemandes capitulent devant les forces alliées. Paris est libéré.

AOÛT

D	L	M	M	J	V	S
		1	2	3	4	5
6	7	8	9	10	11	12
13	14	15	16	17	18	19
20	21	22	23	24	㉕	26
27	28	29	30	31		

Chez eux à Paris

Les nazis se sont installés dans les hôtels, les commissariats de police et autres édifices publics. Sur certains de ces bâtiments, on voit encore les impacts de balles tirées lors de la Libération.

UN PEU DE CHAMPAGNE POUR OUBLIER LES SOUCIS, HELMUT ?

RENTREZ À BERLIN !

EN SAVOIR PLUS

Un musée est consacré à la Libération de Paris et à Jean-Moulin.

TOURNEZ MANÈGES

Jadis, quand ils devaient apprendre à manier l'épée ou
la lance à cheval, les jeunes s'entraînaient sur un cheval
de bois tournant autour d'un axe central. Ainsi en
mouvement, les futurs chevaliers s'exerçaient à toucher
une cible ou un mannequin de paille. Puis quelqu'un
a eu l'idée d'en faire un divertissement : c'est ainsi
que sont nés les carrousels ou manèges.

UN JOUR,
JE TE
DÉPASSERAI.

IMPOSSIBLE
DE FAIRE LA DIFFÉRENCE
DANS CETTE COURBE.

OUH LÀ LÀ ! J'AI LA TÊTE QUI TOURNE !

HAN !

Exercices pratiques
Les chevaliers du Moyen-Orient ont été les premiers à inventer ce mode d'entraînement au combat. Impressionnés, les croisés ont importé l'idée en Europe.

TU ES SÛR QUE LES CHEVAUX SONT PLUS RAPIDES QUE MOI ?

Jardin des Plantes

EN SELLE

Les chevaux sont fréquents dans les manèges. Mais certains manèges parisiens comportent des montures plus rares : des dinosaures et des dodos, des dragons ou des licornes. Et pour rencontrer les plus vieilles montures de Paris, cap sur le jardin du Luxembourg !

Parc de Bercy

Manèges parisiens
Les nombreux manèges que l'on trouve dans les parcs ou sur les places font depuis longtemps la joie des petits Parisiens. Aujourd'hui, certains sont même gratuits durant la période de Noël.

EN SAVOIR PLUS

Il existe un musée des Arts forains empli de trésors – www.arts-forains.com

L'ARC DE TRIOMPHE

L'Arc de triomphe pourrait aussi s'appeler l'Arc
de Trop Tard. L'empereur Napoléon a ordonné
sa construction en 1806 pour célébrer sa victoire
à la bataille d'Austerlitz. Le problème, c'est qu'il l'a
voulu si grand qu'il a fallu 30 ans pour le construire.
À cette date, Napoléon avait été détrôné depuis
longtemps et était mort en exil. Heureusement,
le roi Louis-Philippe a permis son achèvement.

Un hommage éternel
Sous l'Arc, la tombe du Soldat
inconnu représente tous les
soldats morts pour la France.
Depuis 1921, une flamme brûle
en continu en leur honneur.

J'AVAIS IMAGINÉ
UN MONUMENT QUI
NE PARLE QUE
DE MOI !

Symbole de bravoure
L'Arc est aujourd'hui dédié à tous les
soldats morts pour la France depuis les
guerres de la Révolution et de l'Empire.

L'avion fou

L'Arc mesure environ 30 m de haut sur 15 m de large. Il est suffisamment grand pour passer dessous en avion comme l'a prouvé Charles Godefroy le 7 août 1919.

L'Arc de triomphe est inspiré de l'arc de Titus à Rome, mais en trois fois plus grand !

LE PLUS GRAND ROND-POINT DU MONDE

L'Arc de triomphe se dresse au milieu de la place Charles-de-Gaulle, un énorme rond-point d'où partent en étoile 12 avenues. D'où son ancien nom de place de l'Étoile, encore souvent utilisé.

EN SAVOIR PLUS

RAGOTS D'ÉGOUTS

> JE CROIS QUE J'AI RETROUVÉ LE VOLEUR DE BIJOUX !

Des rats par milliers !
En 1850, l'inspecteur Pierre Emmanuel Bruneseau a été chargé d'établir le plan des égouts existants avant la construction d'un nouveau réseau. Il y a découvert une foule de choses dont des bijoux perdus, un squelette d'orang-outan et des milliers de rats.

Imagine cette époque où les Parisiens faisaient leurs besoins dans la rue ou dans un pot de chambre qu'ils vidaient dans les rigoles au milieu des rues. Quand la puanteur est devenue trop forte, on a eu l'idée d'installer des toilettes dans les maisons et des égouts dessous. Génial ! Pas bête non plus l'idée de transformer ces égouts en attraction touristique…

Rue des immondices
Les égouts suivent pratiquement le tracé des rues de Paris. Les galeries sont même bordées de trottoirs et de panneaux qui indiquent le nom des rues au-dessus.

À chacun son travail

C'est une rude tâche, celle des égoutiers, mais indispensable ! Équipés de cuissardes, de masques et de lampes frontales, ils entretiennent et nettoient les canalisations des égouts.

UN JOUR, J'AI VU PASSER UN CROCODILE !

Rénovation de Paris

Vers 1850, l'ingénieur Eugène Belgrand a fait construire des aqueducs pour amener l'eau dans les maisons et un vaste réseau de grands égouts pour évacuer les eaux usées.

EN SAVOIR PLUS

VISITE DES ÉGOUTS

Proposée au public à partir de 1867, la visite des égouts est devenue l'une des grandes attractions touristiques de la capitale. Les visites s'effectuaient dans des wagonnets jusqu'en 1920, puis dans un bateau.

Visites en wagonnets 1892-1920

Visites en bateau 1920-1975

Visite de nos jours

On peut toujours visiter une petite partie des égouts, mais aujourd'hui la visite s'effectue à pied. Elle se concentre autour du musée des Égouts de Paris. Tu y découvriras tout ce que tu as envie, ou pas envie, de savoir sur les égouts. Oui, l'odeur est très forte !

Musée des Égouts – www.paris.fr/loisirs/musees-expos/musee-des-egouts/p9691

Adorée puis détestée
Quand Marie-Antoinette est
arrivée en France pour épouser
le futur Louis XVI, elle avait
14 ans. Les Français ont été sous
le charme de cette princesse
autrichienne. Puis ils ont fini
par la détester pour ses origines
et ses dépenses excessives.

LE PALAIS D'UNE REINE FRIVOLE

Un palais avec 67 escaliers et
6 000 domestiques, des fontaines dont
l'eau jaillit au rythme de la musique
et, à côté, un hameau pour jouer à la
fermière… Marie-Antoinette, reine de
France, a vécu dans un luxe extraordinaire
avec son époux, le roi Louis XVI. Mais la
fête s'est arrêtée avec la Révolution durant
laquelle ils ont fini par perdre la tête.

Le coût de Versailles
30 000 personnes ont travaillé près
de 30 ans pour construire Versailles
selon la volonté de Louis XIV. C'était
plus d'un siècle avant le règne de
Louis XVI.

*OH ZUT !
J'AI BESOIN DE
FAIRE PIPI !*

Reine de la mode

Marie-Antoinette
consacrait beaucoup
de temps à sa toilette
et a lancé de nouvelles
modes en Europe. Elle
portait aussi bien des
robes extraordinaires et
d'immenses coiffures à
plumes, que des tenues
blanches toutes simples.

Jouer à la fermière

À Versailles, Marie-Antoinette
s'était fait bâtir un minivillage
où elle aimait venir jouer
à la fermière avec ses intimes.
Mais ce Hameau de la Reine
n'amusait pas les vrais paysans.

*CE N'EST PLUS
DRÔLE DU TOUT !*

UNE FIN ROYALE

Marie-Antoinette a été
emprisonnée avec ses deux
enfants pendant plus d'un an,
dans une cellule sombre et
humide. Amenée en carriole
sur le lieu de son exécution,
elle s'est excusée auprès de son
bourreau de lui avoir marché
sur le pied. Ce sont ses
derniers mots publics.

*Reconstitution de la cellule de
Marie-Antoinette à la Conciergerie*

Un rude réveil

Révolté par la mauvaise gestion
de Louis XVI et les dépenses
de Marie-Antoinette, le peuple
a forcé la famille royale à
quitter Versailles. Le roi et la
reine ont vécu sous surveillance
au palais des Tuileries avant
d'être condamnés à mort.

**EN
SAVOIR
PLUS**

Le site officiel du palais de Versailles – www.chateauversailles.fr

TOUS EN SEINE

Les villes se développent souvent près des rivières, utiles pour l'eau, la nourriture et les transports. C'est le cas de Paris. La Seine a aussi joué un rôle dans l'histoire : elle a servi à rapatrier le cercueil de Napoléon, à acheminer vers la Concorde l'obélisque venu d'Égypte et à expédier la statue de la Liberté vers New York. Les rives de la Seine sont inscrites sur la liste du patrimoine mondial de l'humanité.

La Seine sépare Paris entre rive gauche (sud) et rive droite (nord).

vers 1670

Services flottants
À côté des bateaux de transport, il y avait sur la Seine des bateaux de poissonniers ou de lavandières qui proposaient le lavage et le raccommodage des vêtements.

↑ *Bateaux de poissonniers et de lavandières au niveau du quai de la Mégisserie, vers 1670*

JE NE VAIS PAS ATTENDRE QU'IL AIT LA TÊTE SOUS L'EAU !

ZOUAVE À L'EAU !

Tu veux savoir si la Seine déborde ? Va voir si l'eau lèche les pieds du Zouave, une statue installée sous le pont de l'Alma. Quand la Seine monte jusqu'au niveau de ses pieds, les chemins qui longent les quais sont fermés. En 1910, l'eau a atteint ses épaules ! Cela a été la plus forte inondation qu'a connue Paris.

Des saumons dans la Seine

Avant les méfaits de la pollution, il y avait beaucoup de poissons dans la Seine. Aujourd'hui, la ville a réussi à assainir l'eau et ils sont revenus. On peut les pêcher et les relâcher. Mais ils ne sont pas comestibles : il y a trop de produits chimiques dans l'eau.

ATTRAPE-MOI SI TU PEUX – MAIS NE ME MANGE PAS !

Aujourd'hui

La Seine au XXIᵉ siècle

La Seine sert au transport et fournit une partie de l'eau potable de la ville. Elle joue aussi un rôle très important dans le tourisme avec les Bateaux-Mouches qui offrent une superbe vision sur Paris, depuis le fleuve !

EN SAVOIR PLUS

Sur le site de la Ville de Paris – www.paris.fr/pratique/eau/la-seine/p1314

PARIS TOUT VERT

Eh oui ! à Paris aussi on peut faire des galipettes dans l'herbe, jouer à cache-cache derrière les arbres, découvrir le nom des fleurs. L'idée d'aménager de vastes jardins publics ouverts à tous les habitants de la capitale s'est développée au XIXe siècle et s'est concrétisée de manière spectaculaire avec le bois de Boulogne ou celui de Vincennes. Depuis, la création de jardins n'a pas cessé et les urbanistes trouvent toujours de la place pour en glisser un entre deux constructions.

Le parc aux multiples visages

Tu peux te rendre dans le parc de la Villette pour visiter l'un des plus importants sites culturels de la capitale (Zénith, Cité de la Musique, Cité des Sciences, etc.). En même temps, c'est là que tu trouveras les plus belles étendues de prairie de Paris ! Sans compter douze jardins thématiques. On a bien fait de l'appeler parc culturel urbain, non ?

> TOUCHE MON DOIGT ET JE TE TRANSFORME EN PÂQUERETTE.

Du zoo aux zozos

Lorsque le Jardin d'Acclimatation a ouvert dans le bois de Boulogne en 1860, il s'agissait d'un jardin zoologique destiné à présenter des animaux exotiques. Il s'est peu à peu transformé et il abrite aujourd'hui de multiples attractions, mais il héberge encore des daims, des animaux de la ferme et de nombreux oiseaux.

Marine royale

Le jardin des Tuileries, construit pour Marie de Médicis, est le premier à avoir été ouvert au public par Louis XIV. Et depuis le XIXᵉ siècle, les enfants peuvent y faire voguer des modèles réduits de voilier sur les bassins. Un plaisir que tu retrouveras aussi au jardin du Luxembourg.

Les parcs et jardins de Paris bénéficient d'une gestion écologique.

Fleurs à gogo

Le Parc floral du bois de Vincennes met en scène d'innombrables fleurs : iris, camélias, rhododendrons, tulipes, ibéris, pivoines, œillets, asters… Lorsque tu auras sagement admiré leurs corolles, tu pourras aller jouer à l'acrobate dans l'aire de jeux géante.

DE L'AIR, DE L'EAU ET… DES COULEURS

Ouvert en 1992, le parc André-Citroën occupe l'emplacement d'anciennes usines de la marque automobile. Autour de sa vaste pelouse centrale, des jardins aux thèmes colorés sont aménagés : bleu, vert, orange, rouge, argent et or.

Aller plus haut

Un ballon dirigeable arrimé au sol s'élève à 150 m de hauteur lorsqu'il n'y a pas trop de vent. L'une des nombreuses occasions de voir Paris d'en haut, sous un angle original puisque le parc s'étend à l'extrémité sud-ouest de la ville.

Les pieds dans l'eau

L'été, quoi de plus rigolo que de courir sous les jets des fontaines ! Si au Trocadéro ils sont interdits, ceux du parc André-Citroën ont été conçus pour que tu puisses te rafraîchir dès que tu as trop chaud.

EN SAVOIR PLUS

MASSIFS,

Le château de Chantilly résume à lui seul l'histoire de France. De château fort au Moyen Âge il est devenu palais d'agrément à la Renaissance. Dans la tourmente révolutionnaire, il a été en grande partie démoli. Reconstruit depuis, il a été transformé en musée comme tant d'autres châteaux. Il est aussi célèbre pour ses jardins, ses écuries et son cuisinier Vatel, inventeur de la crème Chantilly.

POURQUOI SUIS-JE ENFERMÉ DANS LA CUISINE ?

Courses de Chantilly
Le domaine de Chantilly comporte de magnifiques écuries, pouvant abriter 200 chevaux, un Musée Vivant du Cheval et un champ de courses, toujours utilisé.

PUISSANTS ET MAGNIFIQUES

↑ *Banquet donné le 1ᵉʳ octobre 1789,*
Artiste inconnu

Le fossé entre riches et pauvres

Les nobles donnaient de fabuleux banquets pour rivaliser entre eux. Peu après le banquet représenté sur ce tableau (à gauche), des femmes du peuple se sont révoltées car elles n'avaient pas de quoi acheter du pain pour leurs familles.

Dentelle de Chantilly

Crème Chantilly

FRANÇOIS VATEL

En 1671, 2 000 invités ont participé à un dîner donné à Chantilly en l'honneur de Louis XIV. Le chef des cuisines, François Vatel, était archiperfectionniste. Quand il a cru que le poisson qu'il avait commandé n'allait pas arriver à temps, il s'est tué d'un coup d'épée plutôt que d'affronter la honte. Les poissonniers sont arrivés peu après.

ET MAINTENANT, QUI VA FAIRE LE DESSERT ?

ON EST LÀ !

MON DIEU ! PAS DE POISSON... JE NE SUPPORTERAI PAS CETTE HONTE !

EN SAVOIR PLUS

Site officiel du domaine de Chantilly – www.chateaudechantilly.com

LE ZOO À LA CARTE

Quand les Prussiens ont assiégé Paris,
en 1870-1871, empêchant toute nourriture
d'entrer dans la capitale, les Parisiens n'ont
pas eu d'autre choix que de manger leurs
animaux ! Près de 70 000 chevaux ont fini dans
l'assiette. On a rôti ou bouilli les animaux de
compagnie, chiens, chats, oiseaux. On a même
mangé des souris et des rats. Et des animaux du
zoo. Castor et Pollux ont été plutôt difficiles à mettre
au four. C'étaient des éléphants ! Heureusement
pour les animaux des zoos d'aujourd'hui,
la nourriture ne manque plus.

> CE N'EST PAS
> UN MENU BANAL…

MENU

Pâtes à la sauce
au chien

Émincé de chat

Soupe de cheval

Glace à l'éléphant

Saucisse de rats

↓ *Le Siège de Paris (1870-1871),*
vers 1884, Jean-Louis Ernest Meissonier

LE SIÈGE DE PARIS

En juillet 1870, la France déclare
la guerre à la Prusse (qui fait
aujourd'hui partie de
l'Allemagne). Une bien mauvaise
idée ! Les Prussiens écrasent
l'armée française et encerclent
Paris. Ils espèrent obtenir
la capitulation de la ville en
affamant les Parisiens. Le siège
dure 4 mois. Puis, les Prussiens,
lassés d'attendre, commencent
à bombarder la ville jusqu'à
ce que la population
se rende.

ÇA RISQUE D'ÊTRE LONG...

TU PARLES QU'ILS N'ONT PAS L'HABITUDE !

Castor et Pollux sur la table

Les éléphants Castor et Pollux étaient une grande attraction avant le siège. Un boucher les a achetés pour vendre leur viande un bon prix. En particulier les trompes, considérées comme un mets délicieux.

C'EST MOI QUE TU REGARDES ?

Les hôtes du zoo

La ménagerie du Jardin des plantes est le plus ancien zoo de Paris. Elle abrite des orangs-outans et des panthères, des petits pandas et des anoas, des perroquets et des chèvres de l'Himalaya, des kangourous et des yaks. On y élève même des bébés animaux, des reptiles et des insectes.

EN SAVOIR PLUS

La ménagerie fait partie du Muséum national d'histoire naturelle – www.mnhn.fr

L'EAU DE WALLACE

Quel plaisir de boire à une fontaine plutôt que d'acheter de l'eau en bouteilles ! À Paris, tu peux remercier Richard Wallace de t'offrir cette possibilité. Cet homme a en effet financé la construction de plus de 100 fontaines publiques dans la capitale. C'était il y a plus d'un siècle et on peut toujours y boire gratuitement, à la belle saison. L'hiver, il n'y a pas d'eau de peur qu'elle ne gèle dans les canalisations !

J'AI DES CRAMPES AUX BRAS !

OFFRIR DE L'EAU, C'EST AUTRE CHOSE QUE PROMETTRE DU VENT.

Un bel esprit
Richard Wallace était un riche Anglais, collectionneur d'art, qui vivait à Paris. Avec ces fontaines, il voulait faire un cadeau beau et utile à la ville qu'il aimait.

JE SAIS QUE C'EST INTERDIT MAIS LES POLICIERS ONT PEUR DE L'EAU !

BAIGNADE SAUVAGE

Quand il fait très chaud à Paris, on voit parfois des touristes et des Parisiens se baigner dans les fontaines comme ici dans le grand bassin du Trocadéro. C'est tentant car il y a beaucoup de belles fontaines décoratives dans la ville, mais c'est interdit sous peine d'amende – sauf au parc André-Citroën (voir p. 45).

Un inventeur de talent

Quatre modèles de fontaines Wallace ont été dessinés selon ses directives. Elles devaient être à la fois belles et pratiques, peu coûteuses à fabriquer et à installer. Elles devaient aussi être bien visibles mais s'intégrer dans le paysage.

La boisson du diable

Si les gens peuvent boire facilement de l'eau, ils boiront moins d'alcool, pensait Wallace. C'est pourquoi une statue de ses fontaines représente la sobriété (le fait de ne pas boire d'alcool). Les autres représentent la bonté, la charité et la simplicité.

LA PROCHAINE FOIS, NE BOIS PAS L'EAU DE L'AQUARIUM !

À qui le tour ?

À l'origine, les fontaines étaient équipées d'un gobelet en métal attaché à une chaîne. Tout le monde l'utilisait. On l'a retiré pour raison d'hygiène. Ouf !

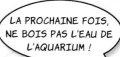

J'AI BU UNE FOIS DE L'EAU, ÇA AVAIT UN GOÛT DE POISSON.

EN SAVOIR PLUS

CES PEINTURES QUI

↓ *La Nuit étoilée,*
1889, Vincent Van Gogh

Néo-impressionniste
La Nuit étoilée est, avec *La Joconde*, l'un des tableaux les plus célèbres. Comme les impressionnistes, Van Gogh se concentre sur la lumière, mais il met aussi beaucoup d'émotion dans ses œuvres.

ÇA VA VOUS ? PARCE QUE MOI J'AI TRÈS MAL AUX REINS !

→ *Les Glaneuses,*
1889, Camille Pissarro

QU'EST-CE QUE L'IMPRESSIONNISME ?

Rompant avec la tradition, les impressionnistes peignaient en plein air pour capturer les lumières et les couleurs qui varient avec les heures du jour. Au lieu de mélanger les couleurs sur la palette, ils utilisaient la peinture sortie du tube en la posant par petites touches.

Agrandissement

ONT TOUT CHANGÉ

J'AI DES BLEUS À L'ÂME AUJOURD'HUI.

Pendant des siècles, un bon peintre se devait de créer des images réalistes – même si elles étaient imaginaires. Un peu comme la photographie. Il y a environ 150 ans, des artistes, à Paris, ont rompu avec cette règle. Plutôt que de peindre une réalité figée, ils ont cherché à traduire des impressions fugitives. Ce nouveau style a été appelé "impressionnisme". Il a été suivi par le "néo-impressionnisme". La manière de peindre en a été transformée à jamais…

Autrefois une gare

Aujourd'hui un musée

Un musée dans une gare

La gare d'Orsay, construite pour l'Exposition universelle de 1900, a été ensuite transformée en musée d'Orsay. Très célèbre, il regroupe des œuvres d'art créées entre 1848 et 1914.

Les premiers impressionnistes

Le peintre français Claude Monet a été l'un des fondateurs de l'impressionnisme. La série des *Nymphéas*, plus de 200 toiles peintes dans son jardin de Giverny, est caractéristique de son style.

Le jardin de Monet à Giverny

↑ *Le Bassin aux nymphéas*, 1899, Claude Monet

EN SAVOIR PLUS

Le site officiel du musée d'Orsay – www.musee-orsay.fr

LES PUCES DE PARIS

SALE MÉTIER !
MAIS IL FAUT BIEN QUE
QUELQU'UN LE FASSE...

Certains jettent des objets que d'autres considèrent comme des trésors. C'est ce qu'ont compris, il y a plus d'un siècle, les "crocheteurs" ou "chiffonniers" de Paris. La nuit, ils récupéraient ce qui méritait de l'être parmi les ordures pour le vendre le dimanche. Leurs étals ont été surnommés "marché aux puces", à cause des insectes qu'on y trouvait. Aujourd'hui, on dit juste les Puces.

La lumière de la nuit
Les chiffonniers étaient aussi appelés "pêcheurs de lune", car la lune était leur principale source de lumière pour leur pêche au trésor sur les tas d'ordures.

JE SAUTE SUR
L'OCCASION !

MA MEILLEURE
TROUVAILLE ?
UN POISSON EN OR
MASSIF.

Un peu d'histoire
Quand les chiffonniers n'ont plus eu le droit de déballer leur marchandise dans l'enceinte de Paris, ils se sont installés aux portes de la capitale. En 1885, la ville de Saint-Ouen a aménagé certaines rues pour y installer leurs étals : ainsi sont nées les Puces !

PAS SÛR QU'IL Y AIT UNE PLACE POUR MOI DANS TA MAISON.

JE NE PEUX PAS GARDER CETTE POSE SANS FIN. ACHÈTE-MOI !

Des kilomètres de marché

Les Puces regroupent aujourd'hui 14 marchés différents, soit plus de 2 000 boutiques ou stands. C'est immense (l'équivalent de 10 terrains de football) et plus de 100 000 personnes s'y promènent chaque week-end !

Fouillez !

Meubles, vêtements, montres, timbres, vélos, statues, jeux ou bibelots, le choix est infini. Certains vendeurs nettoient les objets qu'ils vendent et les mettent en valeur. D'autres présentent leur bric-à-brac dans des boîtes et laissent l'acheteur fouiller !

Les Puces abritent aussi une vingtaine de restaurants.

EN SAVOIR PLUS

Les Puces sur Internet – www.marcheauxpuces-saintouen.com

Derrière les noms des rues de Paris, il y a souvent une histoire. Parfois parce que le nom a changé à cause de l'histoire. Ou alors parce que le nom lui-même raconte une histoire, comme pour la rue du Chat-qui-Pêche. Pourquoi porte-t-elle ce nom ? Essaie de deviner…

Juste 1,80 m de large…

5ᵉ Arrᵗ

RUE DU CHAT QUI PÊCH

DES RUES À

2ᵉ Arrᵗ

RUE DE LA PAIX

Rue de la Paix

En 1806, l'empereur Napoléon Iᵉʳ a fait démolir un couvent et d'autres bâtiments pour créer une élégante avenue qu'il a appelée – tu devines ? – rue Napoléon ! Après les guerres napoléoniennes, elle a été rebaptisée, non sans ironie, rue de la Paix. Aujourd'hui, elle est connue pour ses élégantes boutiques et pour être la rue la plus chère du jeu de Monopoly.

Rue du Chat-qui-Pêche

Cette rue étroite débouchait sur la Seine. Lors des crues du fleuve, les caves des maisons de la rue étaient inondées. L'histoire raconte qu'un chat malin en profitait pour aller pêcher, avec sa patte, des poissons dans l'eau de la cave. D'où le nom de rue du Chat-qui-Pêche ! C'est la rue la plus étroite de Paris.

2ᵉ Arrᵗ

RUE DES DEGRES

Rue des Degrés

La plus courte de Paris est la rue des Degrés : elle fait 5 m de long sur 3 m de large. C'est en réalité un escalier avec 14 marches (ou degrés, comme on disait autrefois).

HISTOIRES

PAS D'ACCORD...

C'EST À MOI !!!

16ᵉ Arrᵗ

AVENUE DE NEW YORK

Avenue de New-York

Au début, elle s'appelait du nom d'un général français, Jean-Louis Debilly, mort en 1806. En 1918, elle a été rebaptisée avenue de Tokyo : une manière de dire "merci" au Japon, allié de la France lors de la Première Guerre mondiale. Durant la Seconde Guerre mondiale, le Japon est passé dans le camp ennemi. C'est l'Amérique qui a aidé la France. En remerciement, l'avenue de Tokyo est devenue l'avenue de New-York !

EN SAVOIR PLUS

Les voies de Paris – www.v2asp.paris.fr/commun/v2asp/v2/nomenclature_voies

LES STATIONS FANTÔMES DU MÉTRO

Il y a, sous Paris, quatre stations fantômes. Il s'agit d'anciennes stations de métro qui ont été fermées durant la Seconde Guerre mondiale et n'ont jamais rouvert. Elles sont couvertes de graffitis mais sont cependant restées intactes avec leurs vieilles affiches d'avant-guerre qui font la réclame pour des produits oubliés depuis longtemps. Elles ne sont plus visitées aujourd'hui que par les sans-abri et des groupes de touristes.

Signes du temps

Les premiers panneaux "Métropolitain" étaient suspendus à des poteaux en métal inspirés des arbres. Puis il y a eu le panneau "Métro" surmonté d'une lampe ronde et, enfin, le simple "M" jaune dans un cercle.

ÇA FAIT 50 ANS QUE J'ATTENDS MON MÉTRO !

ICI, IL N'Y A QUE DES TRAINS FANTÔMES...

Saint-Martin à l'abandon

Saint-Martin est la plus grande station fantôme de Paris. Aucun risque de voir un métro y passer : les rails ont été recouverts de ciment !

Serpentant dans le métro !

En 1938, ce boa constrictor a été découvert dans le métro, sans billet, ni personne pour l'accompagner. Les pompiers l'ont attrapé et les policiers se sont chargés du reste…

L'ENQUÊTE A ÉTÉ LONGUE !

LES VEINES DE LA VILLE

Le métro parisien transporte aujourd'hui environ 4 millions de passagers par jour. Son réseau souterrain est l'un des plus denses du monde. Sans lui, Paris serait paralysé.

La première ligne

La première ligne du métro a ouvert en 1900 avec des wagons en bois que tu ne verras désormais que dans des musées.

Un métro très moderne

Le réseau comporte 16 lignes. Certaines sont en activité depuis plus d'un siècle. La dernière construite, la ligne 14, est entièrement automatisée, sans conducteur.

Les dormeurs du rail

La station Saint-Martin accueille aujourd'hui des sans-abri. Ils peuvent y passer la nuit au chaud et y trouver à manger.

Les artistes du métro

Pour avoir le droit de jouer de la musique dans le métro, il faut passer une audition. Seuls 350 musiciens ou groupes obtiennent cette autorisation officielle.

EN SAVOIR PLUS

Les stations fantômes ont servi d'abri contre les bombardements de 1940 à 1944.

DE TOUTES LES COULEURS

Après la Seconde Guerre mondiale, pour les besoins de la reconstruction et pour faire face à la croissance de l'économie, la France avait besoin de travailleurs. Paris a été une porte d'entrée et a accueilli des Espagnols et des Portugais auxquels sont bientôt venus se joindre des immigrants d'Afrique et d'Asie. Tous ont amené avec eux leurs modes de vie : vêtements, cuisines, musiques, arts et religions. Le Paris actuel est une ville multiculturelle où se mêlent ces influences !

Afrique de l'Ouest

Le Sénégal faisait partie des colonies françaises. Des troupes sénégalaises ont combattu pour la France durant les deux guerres mondiales et, aujourd'hui, des milliers de Sénégalais vivent à Paris.

> C'EST LES COULEURS DU SÉNÉGAL. ÇA TE PLAÎT ?

Afrique du Nord

Grâce à la présence de nombreux habitants originaires du Maroc, d'Algérie et de Tunisie tu n'auras aucun mal à manger un bon couscous à Paris ! Mais la dernière mode ce sont les pâtisseries orientales. Miam !

Sculpture du musée Dapper

> JE COMMENCE PAR COUPER LES CAROTTES...

C'EST LA FÊTE !

Arabique

L'Institut du monde arabe est décoré de motifs géométriques, inspirés des moucharabiehs que l'on trouve dans les pays arabes. Ces motifs s'ouvrent et se ferment pour contrôler la quantité de lumière qui pénètre à l'intérieur, comme dans un appareil photo. Génial !

LES MURS ONT DES YEUX !

Little Jaffna

Ganesh, le dieu hindou à tête d'éléphant, est fêté chaque année dans Little Jaffna, un quartier de Paris où sont installées des milliers de personnes venues du Sri Lanka.

Quartiers asiatiques

Le plus grand des deux quartiers chinois de Paris, dans le 13e arrondissement, abrite en fait beaucoup d'habitants originaires du Vietnam, du Laos et du Cambodge. L'autre quartier chinois est celui de Belleville.

OBSERVE BIEN NOS MOUVEMENTS !

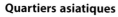

EN SAVOIR PLUS

Le musée du Quai Branly s'intéresse aux cultures non occidentales – www.quaibranly.fr

SHOPPING SUR LES CHAMPS-ÉLYSÉES

Elle a été couverte d'un champ de blé. Elle voit défiler des militaires. Elle a été agrandie, élargie, construite, éclairée. Elle se fait belle pour les grandes occasions. C'est une avenue sur laquelle on circule en voiture, bordée d'allées pour la promenade et de boutiques pour le shopping. Qui est-ce ? Les Champs-Élysées !

Dans la mythologie grecque, les champs Élysées sont un lieu de repos éternel pour les héros et les personnes vertueuses.

NOUS SOMMES FABULEUX, NON ?

Place Charles de Gaulle

Le théâtre des grands événements
Le défilé de la Libération en 1944, la victoire lors de la Coupe du monde de football en 1998 ou, chaque année, le défilé militaire du 14 Juillet, jour de la fête nationale… Les Champs-Élysées sont le théâtre de tous les grands événements.

> TU CONNAIS LE "PLANKING" ? JE SUIS UN DE SES PRÉCURSEURS.

La rue des marques

Les Champs-Élysées sont l'une des avenues les plus célèbres du monde. On y trouve donc la plupart des marques prestigieuses pour les vêtements, les chaussures, les accessoires et même les voitures !

> DANS MES RÊVES...

La culture du café

Des brasseries jalonnent les Champs-Élysées. La plus célèbre, Le Fouquet's, existe depuis 1899 et a été classée monument historique. Chaque année, une fête y est donnée après la cérémonie des Césars du cinéma.

> GARÇON !

Avenue des Champs-Elysées

Place de la Concorde

EN SAVOIR PLUS

De la place Charles-de-Gaulle à la Concorde, les Champs-Élysées mesurent près de 2 km.

C'est là, au sommet de Paris !

L'ÉGLISE AUTONETTOYANTE

Dès qu'il pleut sur la butte Montmartre, la basilique du Sacré-Cœur se nettoie toute seule. Malgré la pollution de l'air, cette imposante église a réussi à conserver sa blancheur étincelante grâce au calcaire utilisé pour sa construction. Sous la pluie, la pierre réagit avec l'eau et se recouvre de calcin, qui lui donne cette blancheur.

Pour demander pardon
Quand, en 1871, Paris est tombé aux mains des Prussiens, les catholiques parisiens y ont vu une punition divine pour leur mauvaise conduite. Pour expier leurs fautes, et honorer leurs morts, ils ont décidé de construire le Sacré-Cœur.

Juché sur une colline, le Sacré-Cœur surplombe la ville.

MÊME PAS MAL !

QUOI ???

FORTE TÊTE !

Au IIIe siècle, lors des persécutions de chrétiens, le premier évêque de Paris, saint Denis, a été décapité. La légende raconte qu'il a pris sa tête dans ses mains et qu'il a marché plusieurs kilomètres vers le nord en prêchant en chemin. Il serait mort à l'endroit où se dresse l'actuel Sacré-Cœur. Une autre légende raconte que son martyre a eu lieu à cet emplacement.

Pour les Gaulois, Montmartre était déjà une butte sacrée.

GARDIENS DE BRONZE

Des statues en bronze de saints français gardent l'entrée du Sacré-Cœur. Jeanne d'Arc a conduit la France à la victoire contre l'Angleterre. Louis IX, ou Saint Louis, a été un roi bon et juste.

Sainte Jeanne d'Arc

Saint Louis

EN SAVOIR PLUS

Le site officiel du Sacré-Cœur de Montmartre – www.sacre-coeur-montmartre.com

LES QUATRE LIBERTÉS

La statue de la Liberté qui trône à l'entrée du port de New York a été conçue et fabriquée à Paris puis expédiée en pièces détachées aux États-Unis ! Paris possède trois statues de la Liberté. Deux sont les modèles qui ont servi au sculpteur Bartholdi pour concevoir la statue de New York. La troisième a été offerte en remerciements par les Américains à la France.

ON NE PARLE QUE D'ELLE...

Auguste Bartholdi

JE CROYAIS QU'ELLE ÉTAIT BEAUCOUP PLUS GRANDE !

LES LIBERTÉS DE PARIS

La statue de la Liberté du jardin du Luxembourg est un bronze de Bartholdi. Le modèle en plâtre se trouve au musée des Arts et Métiers. La statue de la Liberté offerte par les Américains à la France se dresse près du pont de Grenelle, au sud de la tour Eiffel. Elle mesure 11,50 m de hauteur. La statue de New York atteint 46 m (93 avec le socle) !

Jardin du Luxembourg

Au sud de la tour Eiffel

Musée des Arts et Métiers

Flamme de la Liberté

La torche que tient la statue de la Liberté symbolise l'esprit des Lumières qui éclaire le monde. Une copie grandeur nature de cette flamme se trouve à l'entrée du tunnel de l'Alma, près des Champs-Élysées.

Travaux en cours

Bartholdi a commencé à travailler sur cette statue en 1870. Sa tête a été exposée à Paris en 1878 à l'Exposition universelle. La statue a été inaugurée à New York 8 ans plus tard.

Fabriquer une Dame
La structure interne en acier de la statue a été conçue par Gustave Eiffel (le père de la Tour). L'enveloppe extérieure a été fabriquée en plaques de cuivre. Puis, les 350 caisses de pièces détachées ont été acheminées de France en Amérique.

La statue de la Liberté a été offerte par la France aux États-Unis.

SPECTACLE AU CIMETIÈRE

Le Père-Lachaise est le plus grand cimetière de Paris – et l'un des plus visités au monde. Sous de modestes pierres tombales ou d'imposants monuments funéraires reposent d'illustres écrivains, chanteurs, poètes et amoureux. Des centaines de visiteurs y viennent chaque jour. Et le bruit court que des sociétés secrètes s'y réunissent la nuit !

L'espace funéraire

À la fin du XVIIIe siècle, les cimetières de Paris débordaient. La puanteur gagnait la ville. On a donc transféré les restes des défunts dans les catacombes (voir pages 24-25) et créé de nouveaux cimetières loin du centre. Le Père-Lachaise a ouvert en 1804.

Chanteurs célèbres

La tombe de Jim Morrison, chanteur du fameux groupe rock The Doors (1965-1971), mort jeune à Paris, est l'une des plus visitées du Père-Lachaise. Depuis 2009, la sépulture d'Alain Bashung lui fait une forte concurrence…

ALAIN BASHUNG, JIM MORRISSON, ÉDITH PIAF… JE VAIS MANQUER DE LARMES !

PAS D'ÉMOTION ICI !

Jim Morrison

OUAF ! OUAF !

Grands écrivains

De nombreux écrivains français reposent au Père-Lachaise : Molière, La Fontaine, Balzac, Proust… Mais c'est sur la tombe de l'écrivain irlandais Oscar Wilde que les femmes viennent déposer un baiser.

ELLES RÉSISTENT À TOUT SAUF À LA TENTATION !

RINTINTIN – STAR DE CINÉMA

Des animaux célèbres sont aussi enterrés à Paris ! C'est le cas de Rintintin, un chien adopté en France par un Américain et qui a fait fortune dans des films tournés à Hollywood. À sa mort, son corps a été rapatrié en France et enterré au cimetière des Chiens, à Asnières.

EN SAVOIR PLUS

Visite virtuelle du Père-Lachaise – www.pere-lachaise.com

CHIC ET CHOC

Grande créatrice de mode parisienne, Coco Chanel a libéré les femmes des règles qui ordonnaient leurs tenues. Elle leur a fait porter des pantalons et les a incitées à penser par elles-mêmes. Scandale ! Aujourd'hui, les défilés de mode parisiens affichent chaque année de nouvelles audaces, avec des vêtements parfois immettables, mais qui influencent la mode internationale.

LA MODE PASSE, LE STYLE RESTE.

Gabrielle Chanel dite Coco Chanel

Le look Chanel

Coco Chanel travaillait dur et voulait que toutes les femmes puissent en faire autant. Elle a ainsi créé un nouveau style dont le tailleur en tweed gansé est l'un des plus fameux exemples.

VICTIMES DE LA MODE

Les corsets étaient des sous-vêtements qui transformaient la silhouette féminine. Chanel s'y est opposée car elle souhaitait favoriser l'indépendance des femmes grâce à un style qui privilégiait leur liberté de mouvements.

JE NE PEUX PAS RESPIRER, ET ENCORE MOINS PARLER !

Longueur et superpositions

Avant Chanel, les femmes portaient un corset et une robe longue, mais aussi un cache-corset et des superpositions de jupons. Les mêmes règles vestimentaires s'appliquaient à toutes, les plus riches se distinguant par la qualité des tissus.

Début des années 1900

Chanel

Conception d'abord, croquis ensuite

On dit que Chanel ne dessinait pas elle-même ses modèles. Elle concevait le vêtement sur un mannequin, puis un artiste le dessinait sur papier.

070

Le club de la mode

Les défilés de haute couture ont lieu à Paris deux fois par an. Avec un prix de départ à 24 000 € par pièce, seules quelque 500 personnes au monde s'achètent des vêtements de ces défilés !

Jean Paul Gaultier

Pierre Cardin

Givenchy

Les règles de la mode

La haute couture est une appellation juridiquement protégée en France. Les pièces doivent être uniques, faites sur mesure, réalisées à la main, etc.

L'ESSENTIEL, C'EST LE SAC DANS LEQUEL ON MET LE VÊTEMENT !

Jupes pour hommes

Autrefois, il était impensable que les femmes portent des pantalons ou des shorts. Ce que l'on voit aujourd'hui lors des défilés sera peut-être couramment porté par les hommes demain !

EN SAVOIR PLUS

Coco Chanel a débuté sa carrière en ouvrant une boutique de chapeaux en 1910.

VOYAGE VERS LE LOUVRE

Une très ancienne statue de Vénus – déesse de l'amour et de la beauté née de l'écume de la mer – reposait sous terre depuis des siècles. Un jour, un paysan l'a retrouvée alors qu'il cherchait des trésors dans les ruines d'une ville antique. Brisée en morceaux, dépourvue de bras, elle était en piteux état. Elle a été transportée à Paris, au Louvre – le musée d'art le plus visité au monde – où elle a été reconstituée.

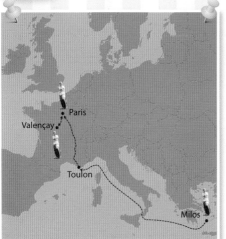

Valençay
Paris
Toulon
Milos

Itinéraire d'une statue

La Vénus a été retrouvée, en 1820, dans les ruines d'une antique cité, sur l'île de Milo (Milos en grec), en Grèce, d'où son nom de Vénus de Milo. Après son transport sur un navire français, elle a été remise au roi Louis XVIII qui l'a donnée au Louvre.

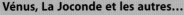

Vénus, La Joconde et les autres…
On dit qu'il faudrait au moins neuf mois pour observer chacune des œuvres d'art du Louvre – il y en a plus de 35 000 à voir !

À l'origine,
la Vénus
était peinte
et portait
des bijoux.

À l'abri durant la guerre
Durant la Seconde Guerre mondiale,
pour éviter que la Vénus ne soit volée
ou détruite, le Louvre l'a envoyée en
vacances à la campagne (à Valençay)
jusqu'à ce que Paris soit à nouveau sûr.

Français et Turcs
se sont disputé
la possession
de la statue.

SANS LES MAINS

La Vénus a été retrouvée en
morceaux – gros fragments de corps
et de jambes, petits fragments de bras
et de main. Les spécialistes du Louvre
ont reconstitué la statue.
Mais ils n'ont pas remis
le bras et la main car
ils n'étaient pas sûrs
qu'ils appartiennent à la
statue d'origine. Le bras
manquant devait tenir
une pomme.

EN SAVOIR PLUS

Le site officiel du musée du Louvre – www.louvre.fr

PLÂTRE DE PARIS

As-tu déjà écrit avec une craie ou signé le plâtre d'un ami qui s'était cassé le bras ? Tu connais donc ce matériau qu'utilisent aussi les sculpteurs pour façonner leurs œuvres. Le plâtre est une poudre de gypse que l'on mélange avec de l'eau. Le gypse étant une roche très répandue dans la région parisienne, Paris est devenue la capitale historique de la production du plâtre. C'est ce plâtre de Paris qu'a utilisé Rodin pour modeler nombre de ses sculptures.

Auguste Rodin

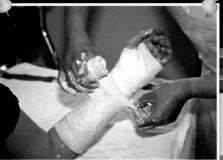

Côté médical

Après une fracture, on peut créer une coquille protectrice en utilisant un bandage en plâtre de Paris qui durcit en séchant. Aujourd'hui, on utilise aussi de la fibre de verre.

PROCHAIN SUJET DE RÉFLEXION, À QUOI JE RESSEMBLE QUAND JE PENSE ?

Les Penseurs

Pour sa célèbre sculpture, *Le Penseur*, Rodin a d'abord réalisé un petit modelage en plâtre. Puis il en a fait un moulage en bronze et, devant son succès, il en a fait réaliser plusieurs agrandissements en bronze de tailles différentes.

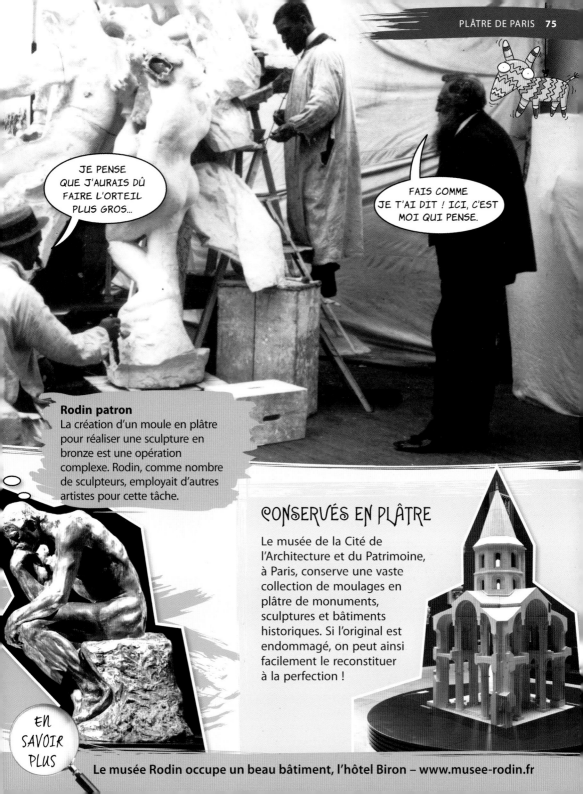

JE PENSE QUE J'AURAIS DÛ FAIRE L'ORTEIL PLUS GROS...

FAIS COMME JE T'AI DIT ! ICI, C'EST MOI QUI PENSE.

Rodin patron
La création d'un moule en plâtre pour réaliser une sculpture en bronze est une opération complexe. Rodin, comme nombre de sculpteurs, employait d'autres artistes pour cette tâche.

CONSERVÉS EN PLÂTRE

Le musée de la Cité de l'Architecture et du Patrimoine, à Paris, conserve une vaste collection de moulages en plâtre de monuments, sculptures et bâtiments historiques. Si l'original est endommagé, on peut ainsi facilement le reconstituer à la perfection !

EN SAVOIR PLUS

Le musée Rodin occupe un beau bâtiment, l'hôtel Biron – www.musee-rodin.fr

LES PREMIERS PONTS SUR LA SEINE

Paris est une ville divisée par la Seine mais dont les deux rives sont reliées par de nombreux ponts. Ces ponts étaient autrefois des lieux très animés, bordés de maisons et de boutiques. Les deux premiers reliaient l'île de la Cité, où se trouve la cathédrale Notre-Dame, aux deux rives du fleuve. Le plus long était le Grand-Pont, devenu pont Notre-Dame, entre l'île et la rive droite. En 1499, ce pont s'est écroulé sous le poids de 60 maisons.

Jouteur

Sécurité maximale

Un peu partout dans Paris, on voit des mascarons : des têtes ou des visages censés protéger les bâtiments contre les mauvais esprits. Sur le pont Notre-Dame, il y a une tête de vieil homme dont les attributs (blé, fruits) évoquent l'abondance.

Les remaniements du pont

Le nouveau pont Notre-Dame construit en 1853 fut surnommé le "pont du diable" car ses cinq arches, trop petites pour le passage des bateaux, causaient de nombreux accidents. En 1919, une arche métallique a remplacé les trois arches du centre.

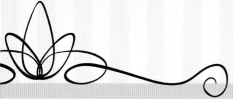

↓ *La Joute des mariniers entre*
le pont Notre-Dame et le Pont-au-Change,
1756, Nicolas Raguenet

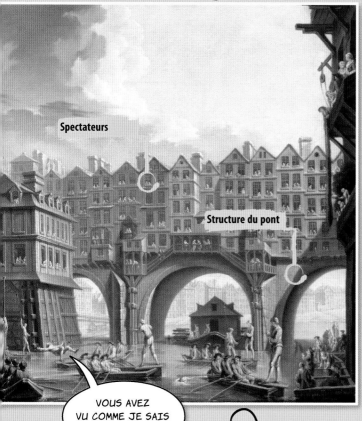

Spectateurs

Structure du pont

VOUS AVEZ VU COMME JE SAIS CHOIR !

Joutes nautiques

À partir du XIIIe siècle, pêcheurs et mariniers ont pratiqué des joutes nautiques sur la Seine. Gens du peuple et nobles assistaient à ce spectacle sportif depuis des bateaux alentour ou depuis le pont Notre-Dame.

JOUTES ACTUELLES

Pratiquées depuis des siècles, les joutes nautiques ne sont officiellement reconnues comme sport en France que depuis 50 ans. Ce combat entre deux jouteurs, chacun sur un bateau, consiste à faire tomber son adversaire dans l'eau au moyen d'une lance.

Jules César
évoquait déjà un
petit pont reliant
l'île de la Cité à
la rive gauche.

ELLE EST PROPRE L'EAU ?

EN SAVOIR PLUS

À Paris, il y a 37 ponts et passerelles qui enjambent la Seine.

AÏE !

③

JE LUI TRICOTE
UN JOLI BONNET.

Place de la Concorde
Dépossédé de tous ses titres, Louis XVI
a été décapité en 1793 sous le nom
de Louis Capet, place de la Révolution.
Avant 1792 elle s'appelait place Louis-XV
et après 1795 place de la Concorde.

ET MOI,
UN CACHE-COU...

Hôtel des Invalides
La foule est d'abord allée aux
Invalides où l'armée entreposait ses
armes. Elle s'est emparée de plus de
30 000 fusils et canons, mais n'a pas
trouvé de poudre...

①

HAUTS LIEUX DE LA RÉVOLUTION

Le peuple de Paris n'en pouvait plus de l'avidité de ses
souverains. Louis XVI, sa frivole épouse Marie-Antoinette
et les nobles privilégiés multipliaient les fêtes, se gorgeaient
de mets délicieux et arboraient de précieux vêtements alors
que la majorité de la population avait à peine de quoi
nourrir ses enfants. La foule exaspérée a fini par décider
de réagir. C'est ainsi qu'a débuté la Révolution française.

ON NE PEUT PAS SE BATTRE AVEC DES BAGUETTES !

La Conciergerie
La reine Marie-Antoinette et 3 000 autres personnes ont été emprisonnées à la Conciergerie. La plupart ont fini sous la guillotine.

Place de la Bastille
Ensuite elle s'est dirigée vers la forteresse de la Bastille où elle a récupéré de la poudre et libéré les prisonniers. Dans la foulée la forteresse a été détruite.

4ᵐᵉ ARRᵗ

PLACE DE LA BASTILLE

EN SAVOIR PLUS

PETIT HOMME, GRAND EMPIRE

Ses ancêtres étaient italiens, il parlait français avec un accent corse et, dans ses débuts, son physique (il était petit et menu) le faisait surnommer le "petit caporal". Mais sa différence n'était pas un souci pour Napoléon Bonaparte qui allait devenir l'empereur des Français, réformer l'État et conquérir la majeure partie de l'Europe. S'il a fini par être renversé et exilé dans une île lointaine, il a cependant réorganisé durablement la France.

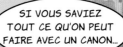

SI VOUS SAVIEZ TOUT CE QU'ON PEUT FAIRE AVEC UN CANON...

Sacré Napoléon
Pour la cérémonie de son sacre, Napoléon a établi des plans aussi minutieux que pour une bataille. Il a été couronné empereur dans la cathédrale Notre-Dame de Paris. Une peinture fameuse de l'événement par David est conservée au Louvre.

Curieux conquérant
La campagne d'Égypte menée par Bonaparte était doublée d'une mission scientifique. De nombreux savants accompagnaient les soldats pour étudier la région. Ils ont laissé une œuvre fameuse, la *Description de l'Égypte*.

BOUM !!!

JE NE PEUX PAS DESCENDRE PLUS BAS !

L'art de vaincre

En 1795, le jeune général Bonaparte a mis fin à une insurrection royaliste dans Paris en plaçant habilement ses canons et en remplaçant les boulets par de la mitraille. Ce succès lui a valu une importante promotion.

CARAMBA ! ENCORE RATÉ !

QU'ON M'APPORTE UNE ÉCHELLE !

Bien protégée...

La dépouille de Napoléon repose dans cinq cercueils emboîtés les uns dans les autres, à l'intérieur d'un monumental sarcophage situé dans l'église du Dôme des Invalides (voir pages 92-93).

EN SAVOIR PLUS

CHRONOLOGIE

1769	Il naît, à Ajaccio, en Corse, rattachée depuis peu à la France.
1785	Sort de l'école militaire avec le grade de lieutenant.
1789	La Révolution éclate. Le roi perd son pouvoir.
1796	Bonaparte est nommé à la tête de l'armée d'Italie.
1796	Épouse Joséphine de Beauharnais, veuve avec 2 enfants.
1798	Mène la campagne d'Égypte.
1799	Renverse le Directoire par un coup d'État.
1804	Se fait couronner empereur.
1808	Envahit l'Espagne.
1809	Fait dissoudre son mariage avec Joséphine dont il n'a pas d'enfant.
1810	Épouse l'archiduchesse autrichienne Marie-Louise.
1812	Retraite de Russie suivie d'autres défaites.
1814	Paris est envahi. Napoléon abdique.
1814	Il est envoyé en exil à l'île d'Elbe au large de l'Italie.
1815	Il tente de revenir en France pour combattre les Anglais et les Prussiens.
1815	Défaite de Waterloo. Seconde abdication. Napoléon est exilé sur la lointaine île de Sainte-Hélène.
1821	Mort de Napoléon.

Napoléon est entré à l'école militaire dès l'âge de 9 ans. ☆ www.napoleon.org

Le scandale du cancan
Le cancan, une danse débridée où les femmes levaient les jambes en montrant leur culotte (longue et fendue à l'époque), fut considéré comme scandaleux lors de son invention vers 1830. Depuis, on a créé une version touristique de cette danse appelée french cancan.

LA FOLIE DU CANCAN

Au XIXᵉ siècle, la butte Montmartre avait encore des allures campagnardes. On y trouvait des vignes et des moulins. Il y régnait une folle ambiance dans ses bals musettes où les Parisiens se pressaient pour boire du vin et s'adonner à des danses canailles comme le cancan. Des cabarets y présentaient aussi des spectacles de danse, comme le fait encore le Moulin Rouge, installé au pied de la butte depuis 1889.

PLUS HAUT LA GUIBOLLE !

PEINTRE DE LA BOHÈME

Henri de Toulouse-Lautrec, l'un des illustres artistes qui vivaient à Montmartre à la fin du XIXᵉ siècle, a peint des affiches pour le Moulin Rouge. Il a souvent représenté des danseuses, comme la Goulue (Louise Weber de son vrai nom), réputée pour avoir un cœur brodé sur son fond de culotte – scandale !

Au XIXᵉ siècle, il y avait plus de 130 cabarets à Montmartre !

Spectaculaire

Le Moulin Rouge est aujourd'hui un music-hall célèbre pour ses spectacles de french cancan et ses danseuses aux fabuleux costumes (avec quantité de plumes et de faux bijoux). Mais il y a aussi des acrobates, des magiciens et des clowns.

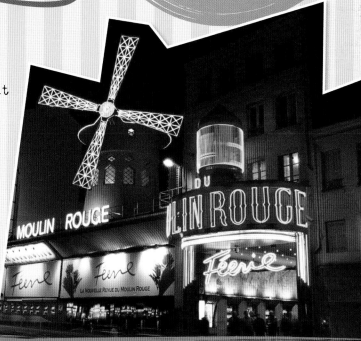

EN SAVOIR PLUS

Le site officiel du Moulin Rouge – www.moulinrouge.fr

L'arrivée du jazz

Venu d'Amérique, le jazz a débarqué à Paris dans les années 1920. Très vite une forme originale est apparue en France, le jazz manouche, avec violon et guitare.

Les tambours dans la rue

Tous les étés, défilés de rue ou festivals de musique font vibrer Paris au son des tambours africains. Rythmes et instruments varient selon les pays ou les groupes.

MUSIQUES DU MONDE

Le "mbalax", c'est pas facile à prononcer ! Et qu'est-ce que c'est ? C'est une musique sénégalaise que l'on peut entendre dans les rues de Paris, tout comme la musique amazigh du Maroc, la rumba congolaise, la musique métisse espagnole, le jazz français, le hip-hop américain ou l'opéra italien…

Une voix de piaf

Après une enfance très dure, la chanteuse Édith Piaf est devenue une idole nationale. Sa vie a inspiré des livres et des films. Son surnom de "piaf" signifie moineau – elle était toute menue et mesurait seulement 1,42 m.

> J'ADORE TOURNER LA MANIVELLE POUR FAIRE DE LA MUSIQUE.

> MIAOU !

Orgue de barbarie

Images du vieux Paris, devenues rares, les orgues de barbarie sont des instruments de musique mécanique actionnés avec une manivelle. Pour attirer l'attention, le joueur amenait souvent un petit animal avec lui.

L'arpenteur de Paris

Le chanteur compositeur Serge Gainsbourg était l'un des artistes les plus parisiens qui soient. Il a toujours vécu à Paris et quelques lieux portent sa mémoire : son ancien hôtel particulier de la rue de Verneuil, la station de métro des Lilas qu'il a chantée ou le cimetière de Montmartre où il est enterré.

EN SAVOIR PLUS

Toutes les musiques sont présentes à la Cité de la Musique – www.citedelamusique.fr

JAMAIS CONTENTS CES PETITS DE TOUTE FAÇON...

C'EST BIEN, MAIS Y A PAS DE VAGUES !

MÉTAMORPHOSES DE PARIS

Il n'y a pas la mer à Paris ? Qu'à cela ne tienne !
Chaque été, du sable est déversé sur les berges
de la Seine pour créer des plages. Au début,
certains ont trouvé l'idée un peu tordue, mais
aujourd'hui Paris Plages a un succès fou. On peut
habituellement s'y baigner (dans un bassin pas
dans la Seine !) et y pratiquer les mêmes
activités que sur n'importe quelle autre
plage : châteaux de sable, volley-ball
ou bain de soleil !

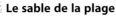

Le sable de la plage

Des tonnes de sable sont déversées sur les quais pour créer des plages là où d'habitude circulent des voitures. Le sable sert ensuite notamment à garnir les allées des parcs et jardins.

> J'AI PERDU MES VÊTEMENTS. COMMENT JE FAIS ?

Fi de la mode !

Dans les piscines publiques parisiennes, les hommes doivent porter un slip de bain. Caleçon ou bermuda sont interdits. Ah ! et le bonnet de bain est obligatoire…

Vacances sur Seine

Cette idée de plages a été lancée en 2002 pour les Parisiens qui n'avaient pas la possibilité de partir en vacances durant l'été – entre le 20 juillet et le 20 août.

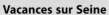

LA CAMPAGNE À LA VILLE

En 2010, la plus grande avenue de Paris a été coupée à la circulation et transformée en champ de verdure. La nuit, des agriculteurs y ont déposé des milliers de parcelles de haricots, de vigne, de blé, de moutarde, de colza et autres. Vingt ans plus tôt, les Champs-Élysées avaient déjà été transformés en champ de blé avant d'être moissonnés. Histoire de rappeler aux Parisiens l'importance de l'agriculture.

EN SAVOIR PLUS

Depuis 2007, Paris Plages s'installe aussi au bord du bassin de la Villette.

LES PLANS DU BARON HAUSSMANN

Au XIXe siècle, quantité de personnes ont quitté la campagne pour venir chercher du travail à Paris. La ville qui n'était pas préparée à accueillir une telle population s'est retrouvée surpeuplée, sale et malsaine. Face à ces problèmes, Napoléon III a chargé le baron Georges Eugène Haussmann de moderniser complètement la capitale. Une grande partie de Paris a été rasée et reconstruite, un nouveau réseau de rues a été tracé et toute la ville a changé d'allure !

vers 1850

Avant…
Le cœur de Paris n'avait guère changé depuis le Moyen Âge. Les rues étaient très étroites, bordées de vieilles maisons en mauvais état, sombres et mal aérées.

Après…

Haussmann a fait raser de vieux quartiers pour ouvrir de larges avenues. Il a divisé Paris en arrondissements et a transformé le système des égouts.

Hauteur maximale 20 m

Pente du toit à 45°

Aujourd'hui

Balcon filant au 5e étage

Pierres de taille

Balcon filant ouvragé au 2e étage

Une longue carrière

Napoléon III a trouvé en Haussmann l'homme idéal : il était déterminé et voyait grand. Il est resté 20 ans en fonction jusqu'à ce que les Parisiens en aient assez de vivre constamment dans les travaux.

RUES DROITES, IMMEUBLES ALIGNÉS, PAS TRÈS RIGOLO CE HAUSSMANN…

PLACE AU PROGRÈS !

NOUVELLES RÈGLES DE CONSTRUCTION

Haussmann n'a pas seulement redessiné le tracé des rues, il a voulu unifier les façades qui les bordaient. Il a imposé quantité de règles sur les matériaux de construction, les hauteurs, les balcons et les fenêtres que les constructeurs devaient respecter. Paris est ainsi devenu une ville élégante et harmonieuse. Du coup, les loyers ont augmenté et certaines personnes ont dû aller s'installer en banlieue.

EN SAVOIR PLUS

LÀ OÙ BAT LE

Une bonne partie des œuvres de ces artistes est qualifiée de postimpressionniste.

QUAND JE PENSE QU'ON ÉTAIT ICI CHEZ NOUS AVANT.

Vincent Van Gogh

C'EST MA PLUS BELLE ŒUVRE.

Pablo Picasso

Amedeo Modigliani

Edgar Degas

Pierre-Auguste Renoir

Piliers de l'art
Nombre des grands artistes du début du XXe siècle sont passés dans un immeuble composé d'ateliers d'artistes, place Émile-Goudeau. Ils avaient surnommé l'endroit le Bateau-Lavoir, sans doute parce que le couloir ressemblait à celui d'un bateau et qu'il n'y avait qu'un point d'eau (comme dans un lavoir).

CŒUR DE L'ART

Les jeunes venus à Paris à la fin du XIXᵉ siècle avec la ferme intention de consacrer leur vie à l'art ont été nombreux à s'installer à Montmartre. Pourquoi ? Parce que la butte Montmartre, en lisière de la ville, avait encore un petit air de campagne. Les loyers y étaient moins chers. Les règles y étaient moins strictes aussi. Ici, ils pouvaient manger, boire, travailler ou s'amuser selon leurs envies du jour.

↓ *Vue de la butte Montmartre, vers 1830, Louis Jacques Daguerre*

Montmartre a attiré non seulement des peintres, mais aussi des sculpteurs, des écrivains, des poètes et des musiciens.

L'art de sauver la vigne

Quand c'était encore la campagne, Montmartre était réputée pour ses vignobles et son vin bon marché. Les artistes locaux se sont battus pour sauver le dernier vignoble, appelé le Clos Montmartre. Ce dernier existe encore.

JE N'Y CONNAIS PAS GRAND-CHOSE EN ART, MAIS...

MARCHÉ DE L'ART

De nombreux artistes continuent à peindre et à vendre leurs œuvres sur la place du Tertre. Autrefois, tout le monde pouvait s'installer gratuitement sur cette place. Aujourd'hui, comme c'est un lieu historique et très touristique, les artistes sont sélectionnés et payent un droit de place. La mairie accorde 300 droits de place en tout.

EN SAVOIR PLUS

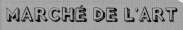

Le musée de Montmartre – www.museedemontmartre.fr

LE COMBAT FINAL

Que faire des vieux soldats ? Décidé à héberger dignement tous ceux qui étaient mutilés ou trop âgés, Louis XIV a fait construire en 1670 l'Hôtel des Invalides. Ils y étaient bien traités, on leur servait du bon vin et une copieuse nourriture, y compris de grosses miches de pain qu'ils pouvaient vendre ou donner. La pension qui abritait les vieux soldats a aujourd'hui été transformée en musée mais l'hôpital accueille toujours les grands blessés.

SI TU PENSES QUE C'EST DUR POUR MOI, IMAGINE POUR MON CHEVAL !

ÇA C'EST VRAI, ÇA !

Le poids de la guerre
Quand les chevaliers partaient au combat, tuer des ennemis était le dernier de leurs problèmes. Le plus dur était de porter cette armure en acier comme on en voit dans le musée de l'Armée aux Invalides ! Un musée qui abrite des armes et des machines militaires remontant au XIIIe siècle.

Zone militaire
Aux Invalides, on peut visiter l'église du Dôme où se trouve le tombeau de Napoléon Ier, le musée de l'Armée, l'historial Charles-de-Gaulle et un musée des Plans-Reliefs (maquettes de fortifications).

SECRET MILITAIRE

Les maquettes (faites à la main !) des villes fortifiées et des citadelles conservées au musée des Plans-Reliefs étaient cachées pour motif de sécurité jusqu'à il y a 40 ans environ. Aujourd'hui, il est enfin possible de voir ces maquettes militaires aux Invalides.

J'AI PERDU UNE JAMBE, MAIS PAS MON HONNEUR !

EN SAVOIR PLUS

INDEX

PARIS
Pour en savoir plus que les grands

1re édition février 2013

Traduit de l'ouvrage *Not for Parents Paris*
Copyright © 2011 Weldon Owen Publishing
Traduction française
© Lonely Planet 2013
© Place des éditeurs 2013
12 avenue d'Italie
01 44 16 05 00
lonelyplanet@placedesediteurs.com
www.lonelyplanet.fr

ISBN 978-2-81613-1833
Imprimé en Chine

Conçu par Weldon Owen en partenariat avec
Lonely Planet. Réalisé par Weldon Owen Publishing
Sauf les pages 14-15, 22-23 et 44-45 conçues et réalisées
par Dominique Bovet et Marie Dautet

WELDON OWEN LTD

Northburgh House, 10 Northburgh Street
Londres, EC1V 0AT Royaume-Uni
weldonowenpublishing.com
Directrice générale Sarah Odedina
Éditrice Corinne Roberts
Directrice de la création Sue Burk
Directeur éditorial Averil Moffat
Coordination éditoriale Lachlan McLaine
Maquettiste Agnieszka Rozycka
Responsable images Trucie Henderson
Directeur de production Todd Rechner
Responsable production et prépresse Mike Crowton
Publié par Lonely Planet Publications Pty Ltd

ÉDITION FRANÇAISE

Traduction Thérèse de Chérisey
Direction éditoriale Didier Férat
Coordination éditoriale Dominique Bovet
Responsable prépresse Jean-Noël Doan
Maquette Marie Dautet
Merci à Jacqueline Menanteau pour sa précieuse contribution
au texte. Un grand merci également à Dominique Spaety. Enfin
tous nos remerciements à Jonathan Lee de Weldon Owen.

Crédits et remerciements

Légende hcg=haut centre gauche ; hg=haut gauche ; hc=haut centre ;
hcd=haut centre droite ; hd=haut droite ; cg=centre gauche ; c=centre ;
cd=centre droite ; bcg=bas centre gauche ; bg=bas gauche ; bc=bas
centre ; bcd=bas centre droite ; bd=bas droite ; ap=arrière-plan.

Photos

10hd, 17b, 19bd, 21hd, 24hd, 27hd, 35cd, 39bd, 41cd, hd, 42hd, 42c, 50, 55bg,
59bd, 61hd, 63hd, bd, 66r, b, 69c, 75hd, 80-81, 83bd, 85bd, 86-87t, 88ap, 90ap,
91bg, 92cg, c, bg **Alamy** ; 15c, cd **Agathe Poupeney/Photoscene.fr** ;
22-23c **Aquarium de Paris** ; 45bg **Arap/Fotolia.com** ; 12c, bd, 16r, 47hg,
48b, 52c, 56bg, 69bc, 73b, 74cd, bd, 80cd, 82, 83hcd, hd, 85cd, 89bg, 90hc, l c,
bg, b, 91cd, 93bd **Bridgeman Art Library** ; 14-15ap **Christophe Boisson/
Fotolia.com** ; 14bg **Cirque Alexis Gruss** ; 15hg **Cirque Pinder** ; 31hd
ClipArtOf.com ; 10b, 13cd, hd, b, 16l, 17r, 18l, 19hd, 20l, 21cg, bd, 24-25ap, 25t,
cd, b, 28cg, 33hg, 34bg, 36l, 37cd, 39hd, c, 43hg, 46bd, 51hd, 53c, 55hd, bd,
59hd, b, 60cd, 61bd, 64-65t, 67, 69cg, 70bd, 71t, hd, c, cg, 76-77c, 80bcg, 86bd,
87bg, 93t **Corbis** ; 14cd, 15bd, 23bd, 44cg, 44-45ap **Dominique Bovet** ; 56hd
Flickr/damn_cool ; 44b **Frédéric Grimaud/Jardin d'Acclimatation** ; 6hd,
7hd, bd, 8cd, 9cd, 10cd, 13l, 24c, 26hd, 28bg, bd, 29bd, 31cd, 32hd, c, 41bg, 49b,
50bg, 51cg, 53cg, bd, 59t, c, 68bg, 69r, 70hd, 75bg, 76b, 79cg, 87hc **Getty
Images** ; 6b, c, 7hg, 8t, 9cg, 11ap, 17l, 19c, 20-21ap, 24bg, 27bd, 28cd, c, 33cg,
34cd, 36b, 39cg, 42bg, 46, 47r, 48hd, bg, 51bd, 53hd, 56hg, 57bd, 60-61ap, b, t,
62bg, 68-69ap, 70l, 71bd, 73bd, 74hg, 75hd, 76-77ap, 84hd, bg, 86l, 87t, bd, 85c,
b, 88b, 89hg, 89bg, 92bd, 79b **iStockphoto.com** ; 49bg, 61cg, 74bc **Lonely
Planet** ; 66c **Marcin Wichery** ; 23hd **Musée national de la Marine** ; 31bg
National Geographic Society ; 7bg, 8bg, b, 9hd, bg, 10cg, 11hg, 16c, 17c,
19cg, bg, b, 20cd, b, 26cg, 30, 35cg, b, bd, 36-37c, 38bd, 39hg, bg, 40cd, bd, 43t,
cd, bg, 52bg, 53b, 54bcd, 58b, 62-63hc, 65b, bd, 66cd, bd, 68c, 68-69t, 72hg,
74c, 75bd, 76c, 79bd, 81bd, 84hg, bd, 85bg, 89hd, 92-93ap **Photolibrary** ;
29hd **Photoshot** ; 14bd **Raphaël Chipault** ; 22c, 45cd, bd **Sophie Senart** ;
12hd, 40hap, 41hg, 47cd, 51bd, 54cd, 58t, 64-65b, 68bd, 70bc, 72b, 80bg, 87hd,
90bd **Shutterstock** ; 60bg, 63t, 77bd **Superstock** ; 43bd, 58bg, bc, bcd, bd,
59bg, 62-63b, 74hd, 91hd **Vectorstock** ; 22bg, 45 hg **Thérèse de Chérisey** ;
37hd, 51hg, 57hd, 66hd, 78-79ap **Wikipedia.**

Images des motifs avec l'aimable autorisation d'**iStockphoto.com**

Illustrations

Dessin de couverture de Chris Corr

6bg, 26-27c, 29b, 32-33b, 38-39t **Faz Choudury/The Art Agency** ; 33bd,
40t, 78hg, hd, 79cd **Rob Davis/The Art Agency** ; 35t, 47bd, 49t, 54l, 65c,
72-73t, 78cg, 80bd **Geraint Ford/The Art Agency** ; 17t, 42hd, 62-63ap
Aggie Rozycka ; 228-29 **Anne Winterbotham**

Cartes 72cg **Peter Bull Art Studio**

Toutes les illustrations et cartes © 2011 Weldon Owen Pty Ltd, sauf 14-15,
22-23, 44-45 © comme indiqué.

En Voyage Éditions | un département place des éditeurs